Ottenere oli essenziali e pectina dalle arance Valencia

Ricardo Duran Baron
Jaime Luis Davila Torres
Luis Felipe Villero B

Ottenere oli essenziali e pectina dalle arance Valencia

Arancia coltivata nel comune di Chimichagua Colombia

ScienciaScripts

Cover image: www.ingimage.com

This book is a translation from the original published under ISBN 978-613-9-44126-6.

Publisher:
Sciencia Scripts
is a trademark of
Dodo Books Indian Ocean Ltd. and OmniScriptum S.R.L publishing group

120 High Road, East Finchley, London, N2 9ED, United Kingdom
Str. Armeneasca 28/1, office 1, Chisinau MD-2012, Republic of Moldova, Europe

ISBN: 978-620-7-27426-0

Indice dei contenuti :

Ottenimento e valutazione di oli essenziali e pectina da sottoprodotti dell'arancia (*citrus sinensis osbeck*) varietà valenciana coltivata in due aree co-regionali del comune di Chimichagua per determinare la loro applicazione nell'industria alimentare.

Autori
RICARDO DURÁN BARÓN
JAIME LUIS DÁVILA TORRES
LUIS FELIPE VILLERO BERMUDEZ

DEDICA

Con particolare riconoscenza dedico questo lavoro al mio caro vecchio, a mio padre José del Carmen Durán, che con le sue azioni corrette mi ha insegnato a vivere la vita nel modo migliore, mantenendo sempre un atteggiamento positivo verso la vita e affrontando i problemi con grande saggezza.

SOMMARIO

La Colombia non produce pectina né gli oli essenziali necessari a coprire la domanda generata principalmente dal settore alimentare e farmaceutico, il che ha comportato importazioni di pectina pari a 256.092 tonnellate per il 2006 e di oli essenziali pari a 1.794 tonnellate per il periodo 20002003 (Agronet). Ciò ha portato a definire l'obiettivo del presente lavoro, che consisteva nell'ottenere e valutare gli oli essenziali e la pectina estratti dall'arancia (*citrus sinensis Osbeck)* varietà valenciana coltivata nel dipartimento di Cesar per determinarne l'applicazione nell'industria alimentare nazionale. In particolare, abbiamo lavorato con le arance prodotte nel comune di Chimichagua, nei villaggi di El Carmen e Higo Amarillo, il cui comune produce circa 1050 ettari dei 1554 esistenti nel dipartimento.

Il processo di estrazione della pectina è stato sviluppato utilizzando il metodo dell'idrolisi acida. Per determinare le differenze significative tra le medie dei trattamenti, con un livello di confidenza del 95%, è stato utilizzato il test del range multiplo; il disegno sperimentale è stato realizzato con il programma di analisi statistica Statgraphics Centurion XV.II; sono stati applicati 8 trattamenti, con 3 variabili indipendenti a due livelli: tipo di acido (HNO3 e HCl), pH (2 e 3) e tempo di idrolisi (30 e 50 minuti); per tutti i trattamenti è stata utilizzata una temperatura standard di 98° C o temperatura di ebollizione. Per l'estrazione dell'olio essenziale, invece, sono stati utilizzati il metodo di trascinamento del vapore e l'idrodistillazione convenzionale assistita da microonde e, per la quantificazione, la gascromatografia accoppiata alla spettrometria di massa.

I risultati hanno mostrato rese di pectina del 9,620 ± 0,764% (b.s.) per l'azienda Los deseos e del 9,968 ± 1,114 %(b.s.) per l'azienda Nueva Esperanza; la pectina ottenuta dall'azienda Nueva Esperanza aveva un alto grado di esterificazione che andava dal 67,657 ± 0,870% al 71,227 ± 0,721% con una media del 69,442% e un'alta percentuale di metossile del 13,004% e una purezza di circa 71,227 ± 0,721%.657 ± 0,870% al 71,227 ± 0,721% con una media del 69,442% e un'alta percentuale di metossile del 13,004% e una purezza approssimativa del 39,613% come acido galatturonico, oltre a un grado accettabile di gelificazione di 152° SAG. Per quanto riguarda la resa degli oli essenziali ottenuti, con l'idrodistillazione convenzionale assistita da microonde a 600 Wy 10 min, questa è stata dello 0,11% per l'azienda Los Deseos e dello 0,71% per l'azienda Nueva Esperanza allo stadio di maturità due in entrambi i casi, mentre non sono stati ottenuti risultati favorevoli con il metodo di trascinamento a vapore; il componente principale dell'olio estratto è il monoterpene limonene, con una concentrazione media del 95,76% allo stadio di maturità due.

Questi risultati favorevoli ci permettono di concludere che sia la pectina che gli oli essenziali hanno le caratteristiche qualitative e quantitative per essere utilizzati nell'industria alimentare.

INTRODUZIONE

La produzione di arance Valencia nel Dipartimento di Cesar è registrata con un'estensione approssimativa di 1769 ettari, fondamentalmente nei comuni di Chimichagua, Valledupar, Astrea, Chiriguaná, Bosconia e Manaure (Cesar in cifre, 2009-2010), sparsi in aziende agricole di meno di 10 ettari, totalmente primarie, poco gestite agronomicamente, senza alcun valore aggiunto e ricercate nei mercati per la loro succosità e dolcezza. La raccolta avviene a giugno e a fine anno, il che provoca una diminuzione dei prezzi di vendita, un aumento delle perdite post-raccolta fino al 50% e problemi ambientali dovuti al deterioramento e alla putrefazione del prodotto, che potrebbe essere utilizzato per la produzione di succhi, nettari, oli essenziali, pectine e altri composti (CCI, 2006).

La fase industriale della filiera agrumicola comprende prodotti come succhi, concentrati, nettari, puree, paste, polpe, gelatine e marmellate (Espinal CF, 2005). I sottoprodotti dell'industria dei succhi, costituiti da bucce (albedo e flavedo), semi, membrane e vescicole di succo, rappresentano circa il 50% del peso del frutto intero originale (Marín RF, 2007). Questi sottoprodotti possono essere utilizzati come sostanze nutritive nei mangimi per animali, commercializzati sotto forma di *pellet*, ma i loro prezzi non sono sufficientemente alti da garantire la redditività del processo di rendering (Wilkins MR, 2007); pertanto, lo sviluppo di prodotti alternativi a più alto valore aggiunto andrebbe a vantaggio dei trasformatori di agrumi.

Gli oli essenziali (EO) e le pectine sono alcuni dei prodotti che possono essere ottenuti dai sottoprodotti degli agrumi (Kim WC, 2004). Gli OE sono utilizzati nella produzione di liquori, profumi, prodotti per l'igiene personale, come agenti mascheranti per vernici e gomma e come materie prime per prodotti farmaceutici, tra le altre applicazioni (Sustainable BioTrade, 2003).

Le pectine sono utilizzate nell'industria alimentare come addensanti, gelificanti, emulsionanti e stabilizzanti (Mesbahi G, 2005) e in campo farmacologico come agenti antimetastatici, immunostimolanti e antiulcera (Liu Y, 2006). Inoltre, la pectina, essendo una fibra solubile, riduce le frazioni di lipoproteine a bassa densità nel sangue, senza modificare i livelli di lipoproteine ad alta densità, il che è positivo per la salute umana (Liu Y, 2006).

I campioni di arance sono stati raccolti da un ettaro in produzione nelle aziende agricole Los Deseos e La Esperanza. La caratterizzazione fisico-chimica è stata effettuata sul succo e sulla buccia a diversi stadi di maturazione. L'estrazione dell'OE è stata effettuata con la tecnica del trascinamento a vapore e dell'idrodistillazione con microonde e la sua analisi mediante gascromatografia accoppiata a masse, per determinarne i componenti principali. La pectina è stata estratta con il metodo convenzionale (idrolisi acida) e la sua caratterizzazione è stata determinata attraverso il grado di esterificazione, il grado di metilazione, il contenuto di acido galatturonico, il pH, l'acidità libera, la percentuale di ceneri, la percentuale di umidità, il tempo e la velocità di gelificazione, il potenziale di gelificazione e il grado di gelificazione.

Lo scopo di questo studio è quello di determinare il contenuto e la composizione degli oli essenziali e la quantità e la qualità delle pectine presenti nei sottoprodotti del frutto dell'arancia, coltivato nel dipartimento di Cesar, al fine di determinare l'applicazione di questi composti nell'industria alimentare.

Capitolo 1

1. DICHIARAZIONE DEL PROBLEMA

Il Dipartimento di Cesar dispone di 1.000.949 Ha per lo sviluppo agricolo di colture transitorie, semipermanenti e permanenti, di cui 1769 Ha sono arance (Statistiche URPA, 1993; Cesar in cifre, 2009-2010). L'arancia prodotta viene commercializzata fresca, senza alcun valore aggiunto o agroindustrializzazione, in quanto esistono sistemi precari di stoccaggio e commercializzazione del prodotto agricolo. Oltre alla perdita post-raccolta, ciò causa l'impossibilità di generare occupazione e aumentare il reddito, ecc. Se questo prodotto fosse trasformato in uno dei tanti prodotti noti come succo d'arancia, concentrato d'arancia congelato, bibita all'arancia, bibita alla frutta con l'arancia come ingrediente, marmellata d'arancia, confetture d'arancia, conserve d'arancia, concentrato animale, liquido di copertura con concentrato d'arancia come ingrediente, polpa congelata, si ridurrebbero o si eliminerebbero le perdite del raccolto e del post-raccolto e si darebbe un valore aggiunto che aumenterebbe il reddito e renderebbe la produzione e la trasformazione delle arance economicamente e ambientalmente sostenibile.

Gli agrumi sono stati prodotti e consumati in Colombia per molti anni, in forma fresca come tale o in succo o in forma trasformata come gelatine, marmellate, succhi, conserve, ecc. L'utilizzo industriale degli agrumi lascia come materiale di scarto una grande percentuale del peso totale del frutto (circa il 50%), molto ricco di pectine e olio essenziale, che non viene utilizzato per ottenere altri prodotti per uso alimentare o industriale.

In Colombia non esiste una produzione di pectine e ne vengono importate circa 256.092 tonnellate all'anno (2006) a prezzi che oscillano sui mercati internazionali tra i 15 e i 30 dollari al chilogrammo (Quimerco, 2005), il che significa un valore di oltre sette milioni di dollari in uscita dal Paese e indica la rapida crescita dell'utilizzo di questi prodotti da parte dell'industria locale, soprattutto nei settori lattiero-caseario e delle bevande.
Il mercato mondiale degli oli essenziali ammonta a 1,3 miliardi di dollari. Gli oli essenziali di agrumi hanno un grande potenziale di sviluppo e commercializzazione. La Colombia ha importato oli essenziali di agrumi tra 19982002, circa 6 milioni di dollari e 14138 milioni di dollari di esportazioni ("Biocomercio sostenible 2003").

Alla luce di quanto sopra, la ricerca proposta cerca di rispondere alla seguente domanda: gli oli essenziali e la pectina estratti dai sottoprodotti dell'arancia (*citrus sinensis*) della varietà valenciana coltivata nel dipartimento di Cesar avranno le caratteristiche ottimali per essere utilizzati nell'industria alimentare nazionale?

Capitolo 2

2. GIUSTIFICAZIONE

Si stima che tra 20 anni avremo una popolazione di circa 9 miliardi di persone e che la produzione alimentare dovrà raddoppiare rispetto a quella attuale, il che significa aumentare la produzione, ampliare le frontiere dell'agricoltura o essere più efficaci in base agli input chimici, alla transgenesi o alle biotecnologie. Questa difficoltà aumenta con l'attuale tendenza a utilizzare gli attuali terreni agricoli per la produzione di biocarburanti.

L'agroindustria agrumicola nazionale mostra uno sviluppo significativo, anche se molto ridotto, negli ultimi anni, poiché deve affrontare problemi di approvvigionamento di materia prima che non soddisfa le sue esigenze in termini di qualità, prezzi in determinati periodi dell'anno e localizzazione. A ciò si aggiungono la scarsa integrazione tra industria e agricoltura, l'assenza di materiale vegetale certificato, la mancanza di ricerca e di trasferimento tecnologico (sviluppo di varietà e qualità) nella fase agricola e agroindustriale, nonché la prevenzione di parassiti e malattie.

Secondo i dati forniti dall'indagine agricola nazionale per l'anno 2009, è stata raggiunta una produzione di 465.015 tonnellate di arance su una superficie di 30.096 ettari in età produttiva, con una resa di 15,45 t/ha (ENA, 2009); di questi il dipartimento di Cesar ha partecipato con 1.554,0 ettari raccolti, con una produzione di 15.087,0 tonnellate e una resa di 7,8 t/ha (Cesar in cifre 2009-2010).

Il Dipartimento di Cesar incentra la sua economia sulla produzione agricola come linea di business storica grazie ai diversi piani termici, alla ricchezza dei suoi suoli, all'idrografia e alle abitudini dei suoi abitanti; in epoca contemporanea, l'altra linea di grande importanza è l'estrazione mineraria, fondamentalmente di carbone, i cui risultati, al di là dei volumi di esportazione e delle royalties che genera, stanno spostando i suoli agricoli attivi, cambiando la vocazione della comunità e generando alti impatti ambientali. Questi due settori hanno qualcosa in comune e cioè che non danno valore aggiunto ai prodotti che producono o estraggono, cioè tutto rimane nel settore primario, cioè il carbone viene venduto così come viene estratto, praticamente dalla miniera al porto di esportazione e nel caso dei prodotti agricoli dal raccolto ai mercati locali o nazionali e alcuni internazionali.

Nel PIANO DI SVILUPPO, una Cesar per tutti (2008-2011), si propongono azioni per promuovere l'impianto di 4.000 ettari di alimenti di base come banane, tuberi (manioca, igname, malanga), ortaggi e frutta; l'espansione dell'Incentivo per la Capitalizzazione Rurale di Cesar (ICRC); l'adattamento di 6.000 ettari con l'irrigazione; programmi di qualità per l'attuazione di buone pratiche agricole e produttive nella trasformazione alimentare; un modello agro-produttivo per l'agro-industria e la commercializzazione delle arance valenciane nel centro del Paese.000 ettari con irrigazione; programmi di qualità sull'attuazione di buone pratiche agricole e di produzione nella trasformazione alimentare; un modello agro-produttivo per l'agroindustria e la commercializzazione delle arance valenciane nel centro del Dipartimento di Cesar; che, se realizzato, consentirebbe una produzione di frutta sufficiente, per cui è essenziale uno studio per conoscere le caratteristiche fisico-chimiche e anche per sapere come possono essere utilizzati i sottoprodotti dell'arancia valenciana (pectine e oli essenziali). Trattandosi della specie più promettente del dipartimento, se presenta le caratteristiche desiderate per l'agroindustrializzazione, l'industria dell'arancia potrebbe diventare una linea importante nell'economia del dipartimento e della regione (Piano di Sviluppo Dipartimentale 2008-2011).

L'uso industriale delle arance lascia come materiale di scarto una gran parte del peso totale del frutto, molto ricco di pectine e oli essenziali, che non viene utilizzato per ottenere altri prodotti per uso alimentare o industriale.

Poiché il Paese deve indirizzare i propri sforzi verso l'utilizzo delle proprie risorse naturali e soprattutto verso l'ottenimento di quei prodotti di facile reperibilità il cui approvvigionamento dipende interamente da altri Paesi, si è ritenuto importante conoscere la qualità delle pectine e degli oli essenziali che si possono ottenere dall'arancia Citrus sinensis osbeck coltivata nel comune di Chimichagua.

Lo sviluppo di questo progetto favorirebbe i coltivatori di agrumi come le arance, in quanto questo frutto può avere un alto potenziale agroindustriale, e i profitti aumenterebbero con la valorizzazione del frutto, in modo da introdurre sul mercato prodotti come succhi, nettari, aromi d'arancia, marmellate, ecc. e utilizzare i sottoprodotti o gli scarti dell'agroindustrializzazione per ottenere oli essenziali e pectine. Inoltre, potrebbero essere utilizzati per produrre profumi, articoli da toeletta e materie prime per prodotti farmaceutici; i risultati sarebbero un input per l'amministrazione comunale e dipartimentale per la promozione di una maggiore area di coltivazione. Infine, si rafforza la linea di ricerca sull'uso dei sottoprodotti del programma agroindustriale. Inoltre, contribuisce al semenzaio di pectine e polisaccaridi e al gruppo di ricerca sull'ottimizzazione agroindustriale.

Capitolo 3

3. QUADRO TEORICO

3.1 . OLI ESSENZIALI

In Estremo Oriente è iniziata la storia degli oli essenziali. Le basi tecnologiche del processo furono concepite e utilizzate per la prima volta in Egitto, Persia e India. È in Occidente, tuttavia, che ha avuto luogo il primo sviluppo su larga scala del processo. I dati sperimentali sui metodi utilizzati nell'antichità sono scarsi e vaghi. A quanto pare, solo l'olio essenziale di trementina veniva ottenuto con i metodi conosciuti oggi, anche se non si sa esattamente di cosa si trattasse.

Fino al Medioevo, l'arte dell'idrodistillazione era utilizzata per la preparazione delle acque floreali. Quando si ottenevano oli essenziali sulla superficie dell'acqua floreale, questa veniva comunemente scartata come sottoprodotto indesiderato.

La prima descrizione autentica dell'idrodistillazione degli oli essenziali si deve ad Arnoldo di Villanova (1235(?¡¡¡) - 1311), che introdusse "l'arte di questo processo" nella terapia europea. Bombastus Paracelsus (1493 - 1411).

1541) stabilì il concetto di *Quinta Essentia*, cioè la frazione estraibile più sublime tecnicamente possibile da una pianta e che costituisce la droga necessaria per l'uso farmacologico.

È provato che la produzione e l'uso degli oli essenziali non si sono diffusi fino alla metà del XVI secolo. Il fisico Brunschwig (1450-1534) cita solo 4 oli essenziali conosciuti all'epoca: trementina, ginepro, rosmarino e lavanda (Günther, 1948).

Con l'avvento della macchina a vapore e l'uso di caldaie a vapore per le industrie manifatturiere nel XIX secolo, l'idrodistillazione è diventata un processo industriale su larga scala. Sono emersi due tipi di generatori: i generatori di calore vivo, in cui la caldaia fa parte dello stesso recipiente in cui viene lavorato il materiale vegetale e funziona alla temperatura di ebollizione atmosferica. E le caldaie a vapore, che non fanno parte dell'impianto e funzionano a un'ampia gamma di flussi e temperature per il vapore saturo. Nel corso del XX secolo sono stati compiuti sforzi per migliorare la progettazione meccanica degli alambicchi, per ridurre al minimo l'elevato consumo energetico richiesto e per controllare adeguatamente il processo (Günther, 1948; Al Di Cara, 1983; Heath e Reineccius, 1986).

Recenti ricerche sull'ottenimento di oli essenziali da sottoprodotti dell'estrazione di mandarini, arance, pompelmi e succhi d'uva, utilizzando la tecnica dell'idrodistillazione assistita da radiazioni a microonde, hanno permesso di identificare i loro componenti mediante gascromatografia accoppiata alla spettrometria di massa, calcolandone le quantità relative e ottenendo rese in oli essenziali dello 0,23% (Jennifer P. 2009).

L'olio essenziale della buccia d'arancia della specie coltivata nella regione di Labateca, nel Norte de Santander Colombia, varietà *Citrus sinensis* valenciana, è stato ottenuto mediante idrodistillazione assistita da radiazioni a microonde (HDMO) e analizzato mediante gascromatografia ad alta prestazione (HPLC), identificando come principale componente volatile dell'olio essenziale il limonene monoterpene ossigenato con il 90,93% (X. Yáñez Rueda, 2007).

Uno studio condotto sull'olio essenziale dell'arancio di anacardo, recuperato dalla buccia del frutto, utilizzato nell'industria degli aromi, dei detergenti, dei cosmetici e dei profumi, riporta una maggiore resa in olio per estrazione a vapore, soprattutto con l'aumento della portata e della pressione. Inoltre, la gascromatografia ha identificato i seguenti componenti principali degli estratti: benzaldeide, terpinene, limonene, linalolo, canfora, acetato di benzile, nerolo, acetato di linalile e acetato di geranile (Grosse R, 2000).

3.2 PECTIN

La pectina fu scoperta nel 1790 quando Vauquelin trovò per la prima volta una sostanza solubile nei succhi di frutta. Lo scienziato francese Braconnot continuò il lavoro di Vauquelin e scoprì che "una sostanza ampiamente disponibile nelle piante vive e già osservata in passato, aveva proprietà gelificanti quando si aggiungeva acido alla sua soluzione". La chiamò "pectina acida", dal greco "pectos" che significa solido, coagulato (La mela. La pectina, Herbstreith).

È stata prodotta pectina dalla buccia di arancia di Valencia mediante idrolisi acida e precipitazione in alcol etilico. La pectina ottenuta ha presentato un buon aspetto con capacità gelificanti paragonabili allo standard commerciale. La resa ottenuta nel processo è stata del 10% su base secca per un pH prossimo a 2,0 e un tempo di idrolisi compreso tra 30 e 40 minuti. Per migliorare la resa, è possibile effettuare una seconda idrolisi del residuo ottenuto una volta filtrata la miscela iniziale (Devia J., 2003).

Uno studio condotto sulla buccia del frutto della passione, confrontando il metodo convenzionale con il "trascinamento di vapore", in cui il trascinamento di vapore viene effettuato prima dell'idrolisi acida con acido citrico e acido cloridrico, della precipitazione con alcol e della successiva purificazione, ha mostrato un aumento del 15% della resa (15,63 su base umida) per quest'ultimo.

Le variabili che influenzano maggiormente il processo di estrazione sono: pH (1,5), tempo di estrazione (30 minuti) e tipo di reagente (acido citrico con esametafosfato di sodio). La pectina è stata ottenuta con un basso grado di metossilazione che forma un pre-gel in un intervallo di 45-55° Brix, utilizzato nella produzione di marmellate morbide, marmellate dietetiche, nettari e gelati, tra gli altri (Gaviria, N., López, L., 2005).

L'estrazione assistita da microonde dalla polpa di mela disidratata è stata ottimizzata utilizzando la metodologia della superficie di risposta, avendo come variabili indipendenti il tempo di estrazione, il pH della soluzione di acido cloridrico, il rapporto liquido-solido e la potenza, ottenendo una resa di 0,157 grammi di pectina per grammo di polpa disidratata con valori ottimali di 20,8 min, pH di 1,01, rapporto liquido-solido di 0,069 e potenza di 499,4 Watt (Wang S., 2005).

Utilizzando i residui della lavorazione del caffè (mucillagine e polpa), è stata effettuata l'estrazione di pectina con il metodo convenzionale su scala di laboratorio, ottenendo rese del 4% (base secca) e del 10% (base umida) rispettivamente di polpa e mucillagine (Sierra L., Bolaños S., 2006).

L'estrazione della pectina dal clone hartón della buccia di banana è stata effettuata mediante idrolisi acida con acido cloridrico in soluzioni a pH 2 e 3 per 60 minuti alla temperatura di 85°C, ottenendo pectina con un basso grado di metilazione e un basso potere gelificante. Le rese secche di pectina a pH 2,0 sono state del 20,68% con una deviazione standard di 3,32 e a pH 3,0 del 7,65% con una deviazione standard di 1,41 (D'addonisio R., 2008).

Confrontando l'estrazione di pectine da bucce di arancia valenzana, arancia tangelo e pompelmo per via convenzionale in mezzo acquoso, con e senza acido, la resa migliore è stata ottenuta con l'acido (10,5% di base secca), ottenendo una pectina con un alto indice metossilico (Gómez Z., Juan F., 1998).

3.38 VALUTAZIONI TEORICHE

3.3.1 MATERIA PRIMA: *Citrus Sinensis Osbeck*

La materia prima dello studio è la buccia dell'arancia dolce, il cui nome è *Citrus sinensis osbeck, una* varietà originaria dell'Asia. Appartiene al genere Citrus della famiglia delle Rutaceae, che comprende circa 1600 specie diverse, di cui la famiglia degli agrumi è la più importante con circa 20 specie.

I frutti, che appartengono alla categoria delle Esperidi, sono quelli che contengono la materia carnosa tra l'endocarpo e i semi; sono ampiamente utilizzati sia per il consumo diretto che nell'industria, dove trovano impiego dalla produzione alimentare alla cosmesi.

Hodgson classifica le arance in quattro gruppi: arance dolci, navel, sanguigne e non acide (Morín, 1985).

Le arance dolci sono la grande maggioranza delle varietà commerciali esistenti in tutto il mondo, tra cui: Valencia, Pineapple, Hamlin, Parson Brown e le native o criollas.

Tassonomia e morfologia:
Famiglia: *Rutaceae*
Genere: *Citrus*
Specie: *Citrus sinensis osbeck*
Portamento: piccolo (3 - 5 m); rami poco vigorosi.
Fiori: leggermente aromatici; singoli o raggruppati con o senza foglie. I germogli con foglie danno i frutti migliori.
Frutti: Hesperidium (vedi figura 1) È costituito dall'esocarpo (flavedo; presenta vescicole contenenti oli essenziali), dal mesocarpo (albedo, pomposo e bianco) e dall'endocarpo (polpa, presenta tricomi con succo). La varietà Navel presenta frutti soprannumerari (navel), ovvero piccoli frutti che compaiono all'interno del frutto principale a causa di un'aberrazione genetica. L'allegagione è solo dell'1%, a causa dell'uscita naturale dei fiori, dei piccoli frutti e delle gemme chiuse.

Per mantenere una maggiore percentuale di allegagione, è consigliabile raffreddare la chioma con irrigazioni a pioggia, che rallentano la crescita in modo che il carico di frutti sia maggiore e minore. Il fenomeno della partenocarpia è abbastanza comune (l'impollinazione non è necessaria come stimolo per lo sviluppo dei frutti). Ci sono prove che indicano che l'impollinazione incrociata aumenterebbe l'allegagione, ma il consumatore non vuole arance con semi. Alcune soffrono di apomissia cellulare (viene prodotto un embrione senza fecondazione).

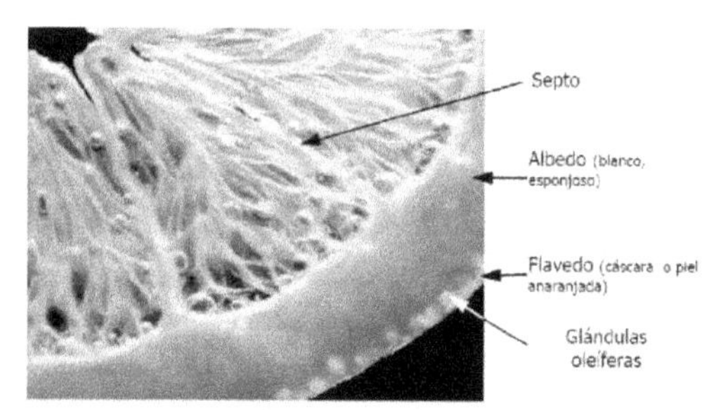

Figura 1. Struttura dell'arancia

3.3.2 ORIGINE

L'arancio dolce è originario delle regioni sud-orientali dell'Asia, in particolare della parte sud-orientale della Cina e dell'arcipelago malese. Da migliaia di anni viene coltivato nella Cina meridionale, da dove si è diffuso in tutto il sud-est asiatico. Gli arabi introdussero l'arancio amaro in Europa attraverso la Spagna meridionale nel X secolo, mentre le prime arance dolci conosciute in Europa sembrano essere state introdotte dai portoghesi dall'India all'inizio del XVI secolo.

In latino, l'arancia è chiamata "Aurantia" per il suo colore dorato, in lingua dravidica (indiana) "Narayan", che significa "profumo interiore". In arabo, dalla lingua persiana, "Narendj".

La coltivazione degli agrumi si è diffusa dall'Europa agli Stati Uniti, dove si trovano fiorenti aree di coltivazione in Florida e California, al Sud America, dove il Brasile detiene la quota più alta del mercato mondiale delle arance e del succo d'arancia, al Sudafrica e a parte dell'Australia. Oggi l'arancio è uno degli alberi da frutto più diffusi al mondo; i principali Paesi produttori sono Brasile, Stati Uniti, Spagna (Valencia, Murcia, Siviglia e Huelva), Italia, Messico, India, Israele, Argentina e Cina.

1.2.1 COMPOSIZIONE DEL FRUTTO

Tabella 1. Valore nutrizionale dell'arancia in 100 g di sostanza edibile

Elemento	Contenuto	Elemento	Contenuto
Acqua (g)	87.1	Acido citrico (mg)	980
Proteine (g)	1	Acido ossalico (mg)	
Lipidi (g)	0.2	Sodio (mg)	0.3
Carboidrati (g)	12.2	Potassio (mg)	170
Calorie (Kcal)	49	Calcio (mg)	
Vitamina A (U.I.)	200	Magnesio (mg)	10
Vitamina B1 (mg)	0.1	Manganese (mg)	0.02
Vitamina B2 (mg)	0.03	Ferro (mg)	0.4
Vitamina B6 (mg)	0.03	Rame (mg)	0.07
Acido nicotinico (mg)	0.2	Fosforo (mg)	23
Acido pantotenico (mg)	0.2	Zolfo (mg)	8
Vitamina C (mg)	50	Cloro (mg)	

Fonte: http://www.infoagro.com/citricos/naranja.htm

Tabella 2. Composizione fisico-chimica della buccia d'arancia

Componenti principali (%)	Sostanza secca		90
	Proteine		
	Carboidrati	62,7	
	Grassi	3,4	
	Fibra		
	cenere	6,9	
Minerali (%)	Calcio		
	Magnesio	0,16	
	Fosforo		0,1
	Potassio	0,62	
	Zolfo	0,06	
Vitamine (mg/kg)	Collina		770
	Niacina		
	Ac.	14,9	
	Pantotenico		
	Riboflavina		22,2
Aminoacidi (%)	Arginina		0,28
	Cistina		0,11
	Lisina		0,2
	Metionina		0,11
	Triptofano		0,06

Demain e Solomon, 1986

1.3.4 PRODUZIONE DI ARANCE

Nel mondo

Le arance, con 63 milioni di tonnellate all'anno prodotte in tutto il mondo, sono il frutto più consumato e rappresentano il terzo frutto più coltivato dopo le banane e l'uva. Oggi sono coltivate in tutti i continenti, a condizione che abbiano un clima favorevole, cioè abbondanza di sole, acqua e bassa umidità.

Il principale produttore di arance al mondo è il Brasile, che utilizza la maggior parte delle arance per il consumo interno e la produzione di succo d'arancia. Il Brasile è seguito dagli Stati Uniti (Florida, California, Texas e Arizona) e dalla Cina. La Spagna sarebbe il principale paese produttore in Europa e il primo paese esportatore al mondo. Altri Paesi produttori sono, in ordine di importanza, il Messico, che ha aumentato notevolmente la sua produzione negli ultimi anni, l'Italia, l'India, l'Egitto, Israele, il Marocco e l'Argentina (FAOSTAT, 2009).
Le proiezioni per le arance prevedono un rallentamento dell'espansione della produzione di arance. Le ragioni principali sono i gravi problemi di malattia in Brasile e in Florida e la riduzione delle piantagioni in altre parti dell'emisfero occidentale a causa dell'effetto ritardato dei bassi prezzi del passato.
La produzione di arance prevista per il 2010 è di 66,4 milioni di tonnellate, circa il 14% in più rispetto al periodo 1997-1999. Il tasso di crescita annuo previsto, pari all'1,12%, è notevolmente inferiore al 3,46% registrato tra il 1987-89 e il 1997-99. La produzione prevista dovrebbe essere utilizzata come prodotto fresco (36,3 milioni di tonnellate) e come prodotto trasformato (30,1 milioni di tonnellate),

mentre l'uso di prodotti trasformati dovrebbe aumentare marginalmente.
Secondo le proiezioni, la produzione di arance nei Paesi sviluppati aumenterà a un tasso annuo dello 0,6%, con la maggior parte di questa crescita proveniente dagli Stati Uniti. In Europa le variazioni saranno minime, con un piccolo aumento in Spagna compensato da cali in Italia e Grecia. Il Sudafrica dovrebbe continuare ad aumentare la sua produzione, approfittando del rifornimento dell'emisfero settentrionale con prodotti fuori stagione. In Israele, la produzione continuerà a risentire della crescita demografica, che entrerà in competizione con gli agrumi e le colture produttive per l'utilizzo di terra e acqua. Anche l'industria giapponese delle arance continuerà a diminuire nel lungo periodo, grazie alla maggiore disponibilità di importazioni.
La produzione dei Paesi in via di sviluppo dovrebbe aumentare a un tasso annuo dell'1,23%. Nei prossimi dieci anni, il Brasile dovrebbe subire una significativa contrazione della produzione a causa degli effetti delle malattie e dei bassi prezzi alla produzione. Entro il 2010, tuttavia, l'industria brasiliana dovrebbe riprendersi, riportando la produzione ai livelli registrati alla fine degli anni '90 e mantenendo il suo dominio sul mercato mondiale delle arance lavorate. Il Messico è esposto al virus della tristezza degli agrumi, che è già comparso nella penisola dello Yucatan. I produttori messicani, soprattutto i piccoli produttori, non sono stati in grado di sfruttare l'accesso preferenziale al mercato statunitense offerto dal NAFTA.
I piccoli Paesi esportatori di arance dell'emisfero occidentale, come Argentina, Cuba, Belize e Costa Rica, dovrebbero trovare opportunità di mercato, dato che le regioni produttrici più importanti sono coinvolte in un processo di adeguamento. Nonostante l'embargo commerciale statunitense, Cuba ha ampliato la sua capacità di produzione e lavorazione delle arance. Anche il settore commerciale in Belize e Costa Rica ha subito un processo di consolidamento che dovrebbe ridurre i costi.
Si prevede che i Paesi asiatici produttori di arance continueranno ad aumentare la loro produzione, che sarà quasi interamente consumata nei mercati interni. Le proiezioni indicano che la Cina sostituirà il Messico come terzo paese produttore di arance e che l'India sfiderà la Spagna per il quinto posto. Tuttavia, le dimensioni dei mercati interni di questi due Paesi suggeriscono che la quasi totalità della produzione sarà consumata a livello nazionale. La Turchia rappresenta un'eccezione, data la sua competitività sul mercato europeo, grazie alla sua posizione geografica e alla sua associazione con la CE attraverso un'unione doganale. Anche i Paesi mediterranei del Marocco e dell'Egitto dovrebbero beneficiare della loro vicinanza all'Europa (FAO, 2012).

In Colombia
Nel 2009 la Colombia aveva una superficie totale di arance di 27.343 ettari con una produzione di 223.919 tonnellate e una resa di 9,93 t/ha (ENA, 2009).

Nel dipartimento di Cesar
Il dipartimento di Cesar per l'anno 2009 ha presentato un totale di 1.769 hs di arance seminate con un totale raccolto di 1.554 hs, con una produzione di 15.087 Ton e una resa di 7,8 Ton/Has (Cesar en Cifras 2009-2010).

1.3.5 PECTIN

La pectina è definita da Kertesz (1951) come acidi pectinici idrosolubili di vario grado di metilazione, che sono in grado di formare gel con zucchero e acido in determinate condizioni.

La pectina è un colloide reversibile di tipo liofilo, costituito da una lunga catena di molecole di acido poligalatturonico con gruppi carbossilici parzialmente esterificati con alcol metilico, associato a zuccheri, emicellulosa, calcio e magnesio (Braverman, 1967). Questo composto appartiene al secondo gruppo di polisaccaridi, gli eteropolisaccaridi, che si trovano nella lamina intermedia tra le cellule e la parete cellulare primaria di frutta e verdura (Saldarriaga, 1974) e in combinazione con la cellulosa sono responsabili delle proprietà strutturali di frutta e verdura.

Durante la maturazione dei frutti, la pectina viene scissa in zuccheri e acidi, per cui la quantità e la qualità della pectina dipende, tra l'altro, dall'età e dalla maturazione del frutto. L'ammorbidimento di alcuni frutti durante la maturazione è in parte dovuto agli enzimi pectinolitici: pectina metilesterasi e poligalatturonasi (Francis, 1975).

Strutturalmente, la loro composizione chimica consiste principalmente in catene di acido galatturonico (vedi figura 2) legate da 1-4 legami. La funzione acida è più o meno esterificata con il metanolo. Le molecole di ramnosio (metilpentosio) sono intercalate nella catena poligalatturonica da legami 1-2 e 1-4, producendo un'irregolarità nella struttura della catena. Presenta inoltre rami laterali più o meno lunghi (arabani, galattani) legati alle funzioni alcoliche secondarie (vedi figura 3) (Puerta, 2001).

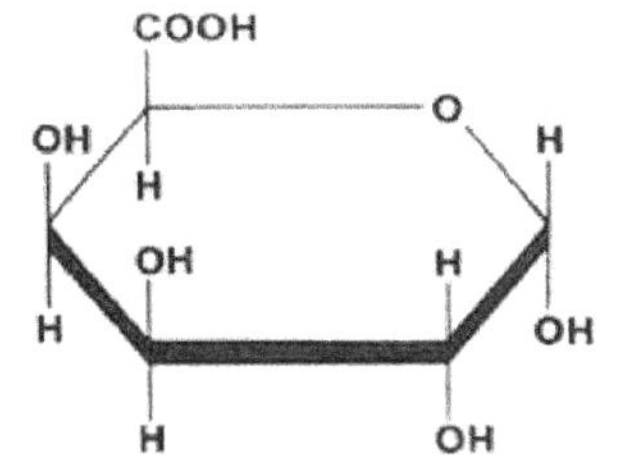

Figura 2. Struttura dell'acido D - galatturonico (Hercules, n.d.)

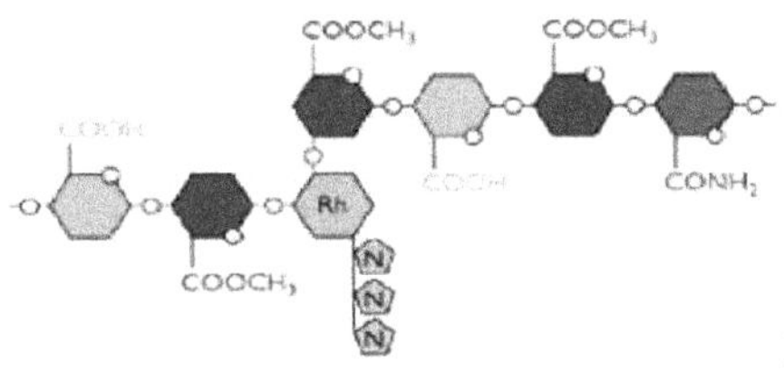

Figura **3.**

di pectina (Obipektin, 2005).

Proprietà delle pectine
Le proprietà delle pectine possono variare a seconda della materia prima utilizzata per la loro estrazione:

Gruppo acido: COOH Gruppo estere: COOCHa Gruppo ammidico: CONH2

Rh = Ramnosio
N = zuccheri neutri (arabinosio, galattosio)

Capacità di gelificazione o grado di gelificazione delle pectine, definito come il numero di grammi di zucchero con cui un grammo di pectina forma un gel di consistenza standard, in condizioni controllate di acidità e solidi solubili. I grammi di zucchero necessari per formare il gel sono espressi in gradi SAG (Giraldo, 1991).

La pectina è l'agente gelificante, mentre i solidi (zucchero) e l'acido sono gli agenti modificatori che realizzano la trasformazione fisica della pectina, trasformando lo sciroppo in gel (Ramirez, 1980).

Le pectine commerciali di buona qualità hanno gradi di gelificazione compresi tra 150 e 300° SAG.

Il suo peso molecolare varia da 2.500 a 1.000.000 gr/gr-mol a seconda della fonte di estrazione e dei derivati delle sostanze pectiche presenti.

Il grado di esterificazione è definito come la percentuale di gruppi carbossilici uronici esterificati con il metanolo. La determinazione di questa percentuale richiede la misurazione del contenuto di estere metossilico e di acido uronico anidro (Ramirez, 1980). Consente di determinare la capacità gelificante della pectina.

Le soluzioni di pectina possono avere valori di viscosità alti o bassi, a seconda della qualità e della materia prima utilizzata per l'estrazione (Ramírez, 1980). Quelle con una viscosità più elevata sono più comunemente utilizzate per la produzione di marmellate. Le soluzioni di pectina presentano generalmente viscosità inferiori rispetto ad altre gomme e addensanti.

Concentrazioni diverse di zuccheri o di calcio e il pH influenzano la viscosità in modo diverso.

La pectina purificata ed essiccata è solubile in acqua calda (70-80°C) fino al 2-3%, formando grumi viscosi all'esterno e secchi all'interno, motivo per cui viene sempre mescolata con zucchero, sali tampone o altre sostanze chimiche (Ramirez, 1980). Deve essere completamente sciolta per evitare la formazione di gel eterogenei. La pectina commerciale mostra un'elevata affinità con l'acqua, che in pratica porta alla creazione di coaguli al momento della dissoluzione; l'aggiunta di zucchero riduce la solubilità impedendo la comparsa di coaguli (Hercules, sf).

Acidità. Le soluzioni di pectina sono stabili in condizioni acide (tra pH 3,2-45) anche ad alte temperature, anche per alcune ore a temperatura ambiente in condizioni più alcaline, ma si degradano rapidamente ad alte temperature.

Stabilità in soluzione. La maggior parte delle reazioni a cui è sottoposta la pectina tende a degradarla. In generale, la massima stabilità si ottiene a pH 4. La presenza di zucchero in soluzione ha un certo effetto protettivo, ad alte temperature e a bassi valori di pH il grado di degradazione aumenta a causa dell'idrolisi dei legami glicosidici; anche la de-esterificazione è favorita a bassi pH. Per le pectine ad alto metossile, quando la temperatura o il pH aumentano, inizia la cosiddetta p-eliminazione, che comporta la rottura della catena e una rapida perdita della viscosità e delle proprietà gelificanti. Le pectine a basso metossile mostrano una migliore stabilità in queste condizioni (Hercules, n.d.).

Reazioni con altri idrocolloidi elettricamente carichi. La pectina reagisce con macromolecole cariche positivamente, ad esempio le proteine, a pH inferiori al suo pH isoelettrico (Hercules, n.d.).

3.3.5.1 CLASSIFICAZIONE

In base ai cambiamenti e alle trasformazioni chimiche dovute alla maturazione dei frutti.

- **Protopectina:** scoperta da Fremy nel 1840, è la forma nativa della pectina. È un polimero insolubile in acqua che si trova nelle prime fasi di formazione e maturazione dei tessuti vegetali. È costituita da zuccheri parzialmente metilati, in particolare da unità anidre galatturoniche legate tra loro. È contenuto in forma sconosciuta nei tessuti vegetali (Giraldo, 1991).

- **Pectina**: quando le sostanze pectiche diventano solubili, sono note come pectine. Durante la maturazione del frutto, la protopectina viene convertita in pectina e acidi pectinici dall'azione di un enzima chiamato pectinmetilesterasi, che la solubilizza (Saldarriaga, 1974).

- **Acidi pectinici:** acido poligalatturonico colloidale con un contenuto di metossile inferiore al 4% che forma gel con zuccheri e acidi. Formano sali come il pectinato di sodio (Eskin, 1971).

- **Acido pectico**: polimero ad alto peso molecolare con unità di acido galatturonico, non contiene gruppi metossilici, quindi tutti i gruppi carbossilici presenti sono liberi (Eskin, 1971).

- **Pectinati:** sali di pectina (Giraldo, 1991).

- **Pectati:** sali di acido pectinico (Giraldo, 1991)

A seconda del grado di esterificazione (metossilazione)
La pectina commerciale è attualmente classificata in base al grado di esterificazione (DE), definito come la percentuale di gruppi carbossilici esterificati con metanolo (numero di moli di metanolo per cento moli di acido galatturonico) (Yates, 1999).

Di conseguenza, le pectine possono essere classificate in tre gruppi in base al loro grado di esterificazione.

- **Pectine ad alto metossile (HM):** queste pectine hanno nella loro molecola alcune unità di acido galatturonico esterificate oltre il 50% e si presentano come estere metilico dell'acido galatturonico (figura 4). Questa pectina è solubile in acqua, in quanto ha quasi tutti i gruppi carbossilici esterificati con metanolo (metossilati), motivo per cui viene chiamata pectina ad alto metossile (Ortiz, 2002).

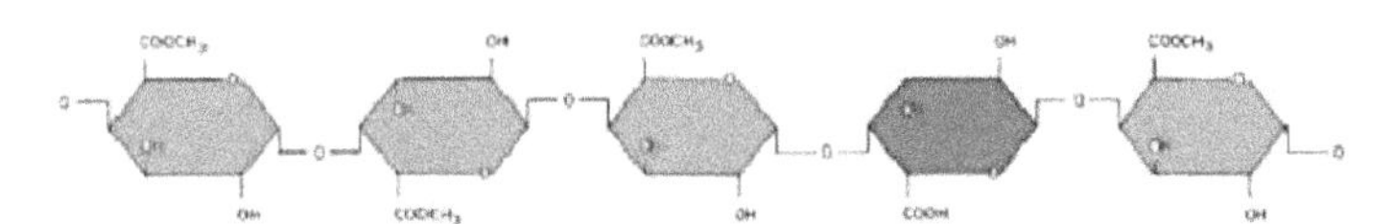

Figura 4. Pectina ad alto metossile (Calvo, 2006)

Le pectine altamente esterificate sono classificate come segue:

a) Gelificazione rapida: hanno un grado di metossilazione di almeno il 70%. La forza dei gel formati dipende dal peso molecolare e non è influenzata dal grado di metossilazione; maggiore è il peso molecolare, maggiore è la forza del gel (Braverman, 1974).

b) Gelificazione lenta: ha un grado di metossilazione del 50-70%, la quantità di acido richiesta è quasi proporzionale al numero di carbossili liberi (Braverman, 1974).

- **Pectine convenzionali a basso metossile (LMC): le** pectine a basso metossile possono essere ottenute da pectine ad alto metossile mediante un processo di de-esterificazione chimica. Queste pectine hanno un grado di metossilazione inferiore al 50% (vedi figura 5), formano un gel in presenza di ioni calcio e altri cationi polivalenti. La quantità di pectina necessaria per la formazione di questi gel diminuisce con il grado di metossilazione. La forza dei gel legati agli ioni dipende dal loro grado di metossilazione ed è fortemente influenzata dal peso molecolare delle pectine (Braverman, 1974).

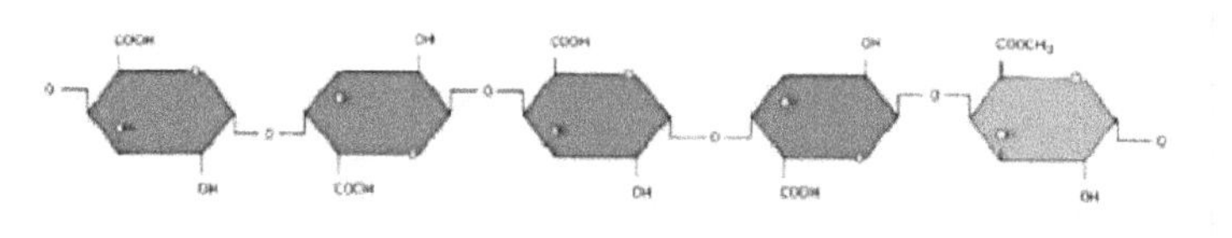

Figura 5. Pectina a basso contenuto di metossile (Calvo, 2006)

La pectina a bassa esterificazione è classificata in base alla sua reattività con gli ioni calcio in:

a) **Pectina rapida:** ha un'elevata reattività con gli ioni calcio, contiene un grado di esterificazione di circa il 30% e un contenuto di gruppi amidati del 20%.

b) **Pectina medio-rapida:** ha una media reattività con gli ioni calcio, contiene un grado di esterificazione di circa il 32% e un grado di amidazione del 18%.

c) **Pectina lenta:** ha una media reattività con gli ioni calcio, contiene un grado di esterificazione di circa il 35% e un grado di amidazione del 15%.

- **Pectine amidate a basso metossile:** dalle pectine HM si può ottenere un tipo di pectina chiamato pectina amidata (vedi figura 6). Questa trasformazione è possibile trattando la pectina HM con ammoniaca in condizioni alcaline in sospensioni alcoliche; in questo processo l'estere viene sostituito dal gruppo ammidico (Yates, 1999).

La pectina amidata ha una migliore capacità di formare gel in presenza di calcio rispetto alla normale pectina a basso metossile.

Possono avere più del 25% di gruppi amidati nella loro struttura e questo cambia le caratteristiche di temperatura e consistenza. In questo tipo di pectina alcuni dei gruppi rimanenti dell'acido galatturonico sono stati convertiti in ammidi. Le proprietà utili possono variare con il rapporto tra unità estere e ammidiche e con il grado di polimerizzazione (Hercules, divisione gomme alimentari, n.d.).

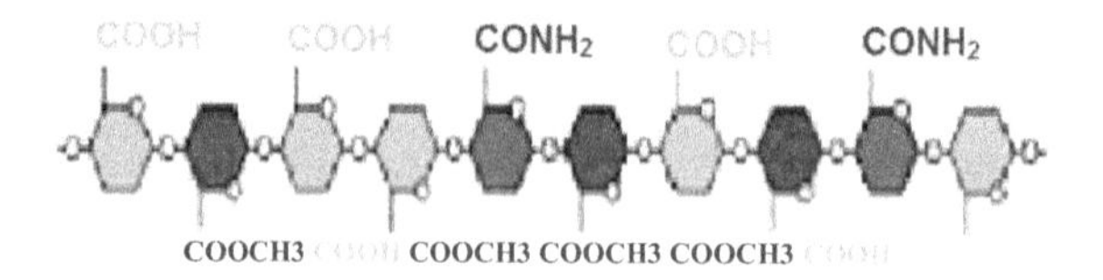

Figura 6. Pectina amidata a bassa esterificazione (Obipektin, 2005)

In base alla composizione chimica della catena polimerica
Sono classificati in Galatturonani o polimeri di acido galatturonico (Miranda, 1993); Ramogalatturani o polimeri misti di acido galatturonico e ramnosio (Miranda, 1993); Arabinogalattani o polimeri misti di arabinosio e galattosio (Miranda, 1993) e Arabinani o polimeri di arabinosio (Miranda, 1993).

3.3.5.2 METODO DI ESTRAZIONE

Per il metodo di estrazione convenzionale, vengono eseguite le seguenti operazioni

Nella selezione del materiale si deve tenere conto della qualità del materiale vegetale da utilizzare, cioè materiale senza funghi, senza parti marce e del livello di maturazione della pianta, poiché il materiale acerbo tende a contenere una percentuale maggiore di pectine (Devia, 2003).

Nell'inattivazione degli enzimi pectici, bisogna tenere conto che gli enzimi pectinolitici sono metaboliti extracellulari prodotti da alcuni microrganismi (principalmente lieviti e funghi) come il *Bacillus pumilus* 29 (Cabeza, 2003). Questi enzimi sono utilizzati principalmente nell'industria della produzione di succhi; gli enzimi pectinolitici sono quelli che utilizzano i composti pectici come substrati naturali (Yegrs, 2001).

Per rendere il processo di estrazione più efficiente, è necessario inibire l'attività enzimatica degli enzimi pectici, nonché eliminare lo sporco e/o i microrganismi presenti nel materiale selezionato. L'inattivazione viene effettuata facendo bollire una miscela di materiale vegetale macinato e acqua (Devia J, 2003).

Il processo di estrazione della pectina avviene attraverso l'idrolisi acida, per la quale esistono due metodi. Il metodo aperto consiste nel riscaldare la soluzione di materiale vegetale (macinato), un po' di acido e acqua sotto agitazione e in un recipiente aperto all'atmosfera. Il metodo chiuso consiste nel riscaldare la stessa soluzione in un recipiente con un condensatore (Devia, 2003).

Il tempo di riscaldamento è una variabile critica nel processo di estrazione, così come la temperatura (Pagan, 1998) e gli acidi normalmente utilizzati in questo processo di estrazione sono l'acido solforico, l'acido citrico, l'acido nitrico o l'acido cloridrico (Devia, 2003).

Una volta completato il processo di idrolisi, il materiale viene filtrato attraverso un setaccio per separare la soluzione solida da quella liquida (Devia, 2003).

Segue il processo di precipitazione, che consiste nella separazione della pectina dalla soluzione acida, per la quale si utilizzano sali o alcoli (preferibilmente questi ultimi, dato che le pectine sono utilizzate nell'industria alimentare). Per questa precipitazione, si raccomanda di utilizzare un volume di alcol equivalente all'80% della soluzione da precipitare (Devia, 2003).

Infine, l'essiccazione deve avvenire a una temperatura di circa 40^0 C per 12 ore o all'aria aperta per diversi giorni (Devia, 2003).

3.3.5.3 CARATTERIZZAZIONE DELLA PECTINA

Le caratteristiche fisico-chimiche delle pectine isolate dipendono dai processi di estrazione e, sebbene le pectine siano composte principalmente da catene non ramificate di acido 1,4-D-galatturonico, non esistono semplici derivati chimici che sembrano caratterizzare le sostanze pectiche (Joslyn, 1962; McCready, 1970). Informazioni utili si ottengono mediante analisi arbitrarie consolidate e comunemente utilizzate, che sono principalmente di tipo fisico (Genu., 1979). Le più importanti sono il contenuto di acido anidro-galatturonico (AAG), la percentuale di ceneri, il grado di esterificazione e alcuni dati sul peso molecolare della pectina, che possono essere riflessi dalla viscosità e dal potere gelificante o dal grado di gelificazione (Ullman, 1950; McCready, 1970).

Determinazioni chimiche

Le sostanze pectiche si differenziano per le loro proprietà chimiche dagli altri polisaccaridi principalmente per la presenza di grandi quantità di gruppi carbossilici liberi o esterificati da gruppi metilici (Pilnik e Voragen, 1970).

- **Purezza come contenuto di acido anidrogalatturonico (AAG) o di sostanze pectiche**

La purezza della pectina è indicata dal suo contenuto di AAG e di ceneri. Il primo indica la percentuale di altri materiali organici presenti, solitamente polisaccaridi neutri, mentre le ceneri indicano le impurità inorganiche (Rouse e Knoor, 1970).
La determinazione del contenuto pectico negli alimenti presenta difficoltà a causa della struttura della molecola di pectina (Ibarz, 2006). La matrice vegetale spesso contiene grandi quantità di amido, zuccheri, cellulosa e altri carboidrati associati alla pectina che interferiscono con la sua determinazione analitica (Kitner e Van Buren, 1982). Questo è un problema nelle analisi di routine, dove sono richieste tecniche rapide e accurate (Ibarz, 2006).

La metodologia per la quantificazione delle pectine nei materiali vegetali prevede una fase preliminare di estrazione e purificazione e la determinazione finale viene effettuata con diverse tecniche, con i metodi colorimetrici che sono i più utilizzati grazie alla loro maggiore selettività rispetto ai metodi volumetrici e gravimetrici e alla loro maggiore semplicità rispetto alle tecniche cromatografiche ed elettroforetiche (Carbonell et al., 1990).

Per la quantificazione delle sostanze pectiche sono noti diversi metodi colorimetrici, tra cui il metodo del carbazolo (McCready e mCComb, 1952) e il metodo dell'm-idrossifenilfenolo (Blumenkrantz e Asboe-Hansen, 1973). Queste tecniche si basano sulla reazione dell'acido 5-formil-2furanecarbossilico, derivante dall'azione a caldo dell'acido solforico sull'acido galatturonico, con un reagente colorimetrico per ottenere un prodotto colorato che assorbe a un determinato massimo di lunghezza d'onda (Ros et al., 1992). Barazarte et al. (2007) hanno riscontrato che entrambi i metodi riproducono abbastanza bene i valori dell'acido anidrogalatturonico confrontando le misure sperimentali con gli standard corrispondenti.

Il metodo del carbazolo è stato il più utilizzato come analisi di routine (Visciglio e San Juan, 2000). Tuttavia, lavori recenti preferiscono il metodo dell'm-idrossifenilfenolo per la sua maggiore sensibilità e specificità in presenza di zuccheri e composti fenolici (Ibartz et al., 2006). Indipendentemente dalla tecnica applicata, la struttura altamente complessa ed eterogenea delle pectine richiede selettività e accuratezza dei metodi di quantificazione analitica (Carbonell et al., 1989; Rodriguez et al., 1992; Willats et al., 2006).

- **Grado di esterificazione (metossilazione)**

McCready (1970) definisce il grado di esterificazione (% esterificazione) come la percentuale di gruppi carbossilici-uronidi esterificati con metanolo sul contenuto totale di uronidi della pectina.

D'altra parte, il grado di metossilazione (% metossilazione) è il rapporto tra gruppi metossilati e gruppi totali dell'acido galatturonico, fermo restando che l'acido galatturonico è solo parzialmente esterificato (Genu P. Co., 1979).

Il grado di esterificazione o metossilazione è un parametro importante per valutare il comportamento di una pectina in termini di velocità di dispersione in soluzioni acquose, tempo di gelificazione del gel prodotto con essa, sensibilità ai cationi polivalenti e capacità di formare gel normali o a basso contenuto di solidi (Rouse et. al., 1964: Pilnik, 1970); McCready, 1970; Francis, 1975). La maggior parte delle pectine in commercio è ad alto contenuto di metossile, con un contenuto che varia dal 7% al 12% di MeO (dal 42,1 al 73% di base al 16,3% di MeO).
La determinazione di questi gruppi funzionali può essere ottenuta mediante idrolisi basica dei gruppi funzionali seguita dalla titolazione degli alcali rimanenti. Il contenuto di metossile è equivalente all'alcali consumato nell'idrolisi (McCready, 1970).

- **Peso equivalente**

I valori del peso equivalente delle sostanze pectiche sono utilizzati per calcolare la % di AAG e la % di esterificazione (Owens et al., 1952). Olsen (1939) ha osservato che il peso equivalente o combinato diminuisce progressivamente con la demetossilazione della pectina, così come il suo tasso di gelificazione. Il peso equivalente è quindi un parametro comparativo per determinare la qualità della pectina di una determinata fonte (McCready, 1970; Rouse et. al. 1970). La determinazione del peso equivalente può essere ottenuta mediante titolazione diretta delle pectine con alcali standardizzati (Owens, 1952).

- **Ceneri**

Le ceneri indicano le impurità inorganiche delle pectine che probabilmente si combinano con i gruppi carbossilici per formare sali di acidi pectinici. Una piccola parte della pectina è occlusa nel precipitato e non si combina (Rouse e Knoor, 1970).

Determinazione delle proprietà fisiche.

Sebbene sia possibile produrre pectine con lo stesso grado di esterificazione con uno qualsiasi dei metodi descritti e i prodotti appaiano chimicamente identici, le proprietà fisiche sono spesso molto diverse.
La definizione di metodi standardizzati per la caratterizzazione fisica della pectina è stata un compito arduo e complesso. Ciò risulta evidente se si considera la diversità dei prodotti in cui può essere applicata una determinata pectina proveniente dallo stesso lotto di produzione. Solo dopo 20 anni di ricerche, i laboratori "Exchange" della California Fruit Products hanno condotto ricerche per un'analisi fisica e hanno adottato il "grado di gelatina" come il fattore di standardizzazione più importante per le pectine commerciali (Joseph e Baier, 1949; IFT, 1959).

- **Determinazione del potere gelificante della pectina.**

Come già detto, la lunghezza della catena pectinica è direttamente correlata al peso molecolare, che può essere determinato in modo relativo misurando l'aumento di viscosità di una soluzione pectinica. Si tratta di un indice utile per confrontare pectine con contenuto metossilico simile, soprattutto nel controllo della produzione. Tuttavia, esiste un limite di viscosità oltre il quale non si verifica alcun aumento delle proprietà gelificanti, per cui il test finale, per qualsiasi pectina, dovrebbe sempre essere il test della gelatina (Francis e Bell, 1975).
Le pectine hanno un grado di gelificazione in base alla loro agilità nel formare gel. Questo grado è stato definito come il potere di trattenere lo zucchero che consiste nelle parti in peso di zucchero che trattengono una parte in peso di pectina, in condizioni standard, formando un gel con proprietà soddisfacenti (IFT. 1959). Più alto è il grado di gelificazione, meno pectina è necessaria per la formazione di gel standard, ma questo non è l'unico criterio per la scelta di una determinata pectina.
La standardizzazione dei metodi di preparazione dei gel e la progettazione di un test semplice e

affidabile per misurare la compattezza dei gel è stato un compito difficile e sono state presentate diverse alternative. Il problema da risolvere era la definizione di un metodo che controllasse i fattori più importanti nella formazione e nella compattezza dei gel di pectina e che fosse rappresentativo e utile per le varie applicazioni che una determinata pectina poteva avere (Cox e Hibby, 1944; Joseph e Baier, 1949).

Nel 1949, il dipartimento di ricerca della California Fruit Growers Exchange ha condotto un'indagine approfondita sui metodi di preparazione dei gel di pectina conosciuti fino ad allora. Hanno stabilito quello che oggi è noto come "gel standard" e il suo metodo di preparazione (IFT, 1959).

Contemporaneamente, è stato necessario presentare un test per qualificare il gel prodotto. Esistono due possibilità accettate per testare la gelatina:

1- Il gel può essere sottoposto a condizioni che superano il suo carico di snervamento, in cui si rompe o si deforma in modo permanente.
2- Il test può comportare l'osservazione di un cambiamento permanente e non misurabile durante il periodo di prova.

La deformazione o rottura irreversibile del gel è influenzata da diversi fattori difficili da valutare separatamente. Inoltre, questi fattori dipendono fortemente dalle tecniche di produzione e manipolazione del gel (Joseph e Cox, 1947).

L'apparecchio proposto da Locwood e Hayes (1931), noto come "Exchange stiffness tester", è stato sviluppato per misurare la rigidità del gel osservando e misurando, dopo un determinato tempo, la riduzione in altezza dovuta all'espansione che si verifica in un gel di prova standard di una determinata altezza. L'apparecchio è stato scelto come il miglior strumento di prova dall'Institute of Food Technologist (1959), anche se alcuni membri lo hanno accettato con riserva, in quanto il metodo presenta limitazioni nel fornire informazioni su alcune importanti caratteristiche del gel, ma l'apparecchio utilizzato è stato generalmente accettato come un metodo riproducibile di preparazione del gel, che fornisce un indice riproducibile della capacità della pectina di trattenere lo zucchero formando un gel. Il metodo non fornisce informazioni sull'intervallo di pH ottimale per una determinata pectina, né descrive la tensione superficiale del gel, né valuta l'utilità della pectina in alcuni tipi di gel che richiedono condizioni di preparazione diverse dallo standard, così come altri punti importanti per i prodotti alimentari (IFT, 1959).

- Tempo e temperatura di gelificazione.

Il tempo di gelificazione o di assestamento è il periodo immediatamente successivo alla miscelazione di un lotto di gelatina fino alla sua formazione in un gel compatto. Questo tempo è funzione della temperatura del mezzo, della velocità di raffreddamento del gel, della presenza di ioni polivalenti, del pH, dei solidi del gel, della quantità di pectina utilizzata e di altri fattori che modificano la formazione e la compattezza del gel (Francis, 1975; Flores, 1966). In base alla sua purezza, al grado di esterificazione e al grado di polimerizzazione, la pectina tenderà ad avere una gelificazione veloce, media o lenta.

In generale, le pectine ad alto peso molecolare con gradi di esterificazione pari o superiori al 65% hanno una sedimentazione rapida, mentre quelle con gradi compresi tra il 50 e il 60% hanno una sedimentazione lenta (McCready, 1970). A gradi di esterificazione inferiori, la pectina è a basso contenuto di metossile e tende a sedimentare rapidamente (Owens et al., 1952; Pilnik, 1970). La degradazione per invecchiamento della pectina ad alto metossile determina una progressiva tendenza al comportamento a basso metossile. La presenza di ioni polivalenti riduce drasticamente la velocità di sedimentazione della pectina a basso metossile.

Nella produzione di conserve sono necessarie pectine a gelificazione molto rapida, in modo che le particelle solide siano incorporate nel gel e non galleggino sulla superficie della confezione (Genu P. Co. 1979). Le pectine a gelificazione lenta possono impiegare un'ora per gelificare e il gel si forma a temperature inferiori a 70°C: sono utilizzate per gel che devono essere confezionati prima che inizino a coagulare. La temperatura di gelificazione aumenta con tutti i fattori che aumentano la compattezza del gel. Alcuni sali tampone, come i citrati o il sodio tatrato, agiscono per ritardare la velocità di gelificazione. I produttori di pectina devono adattare il loro prodotto alle esigenze del produttore alimentare e questo si ottiene mescolando pectine di vario tipo e grado con l'aggiunta di sali tampone,

se necessario (Francis, 1975).
Il tempo di gelificazione è commercialmente conosciuto come il tempo di solidificazione a 30°C. Per la sua determinazione, la preparazione del gel segue le stesse regole della determinazione della compattezza e del grado di gelificazione. Il tempo viene avviato riempiendo un becker di dimensioni standard con il gel liquido a 96°C. Il becker viene immerso fino all'orlo in un bagno d'acqua a 30°Cc e fatto ruotare con leggeri giri a intervalli temporizzati. Quando il gel sul fondo del becher inizia a gelificare, lo si vede ruotare in direzione opposta a quella della rotazione stampata. Il tempo di prova termina quando si osserva il fenomeno sulla superficie (Joseph e Baier, 1949; IFT., 1959; McCready, 1970). Con questo metodo, le pectine a presa lenta gelificano in 3,25-4 minuti, mentre quelle a presa rapida gelificano in meno di 10 secondi. I produttori di alimenti hanno familiarità con l'interpretazione dei risultati di questo test, poiché la velocità di gelificazione varia notevolmente in base a diversi fattori (vedi tabella 3) (Joseph e Baier, 1949).

Tabella 3. Tempo di gelificazione in minuti

L'aria (20 25°c)	Bagno d'acqua (30oc)
1.0	0.90
2.0	1.65
3.0	2.25
4.0	2.80
5.0	3.25
7.0	4.00
10.0	5.10
14.0	6.30

Joseph e Baier, 1949

- Umidità della pectina disidratata.

La pectina preparata con qualsiasi processo deve essere disidratata e conservata in ambienti freschi ed ermetici. La pectina assorbe rapidamente l'umidità fino al 15% del suo peso, a seconda dell'umidità dell'ambiente. L'umidità deve essere determinata quando la pectina raggiunge l'umidità di equilibrio (McCready, 1970).

3.3.5.4 APPLICAZIONI DELLA PECTINA

Nell'industria alimentare

L'uso della pectina nelle marmellate ad alto contenuto di zucchero è una delle applicazioni più conosciute in uno dei mercati più grandi per la pectina.

Le pectine ad alto metossile, in ordine decrescente di percentuale di esterificazione e velocità di formazione del gel, sono classificate commercialmente nei seguenti tipi (Navarro e Navarro, 1985).

La misurazione della capacità di gelificazione dei gel di zucchero pectina è standardizzata e misurata in gradi SAG.

a) Set ultra rapido 150° SAG (URS 150)°
b) Set rapido 150o SAG (RS 1500)

c) Set medio rapido 150° SAG (MRS 150°)

d) Set lento 150° SAG (SS 150°)

Le loro caratteristiche principali sono riportate nella Tabella 4 (Navarro e Navarro, 1985).

Tabella 4. Caratteristiche delle pectine alimentari ad alto metossile (HM).
Valori limite

Caratteristica	IRS 150° IRS 150° IRS 150° IRS 150° IRS 150° IRS 150° IRS 150° IRS 150	RS150° RS150° RS150° RS150° RS150° RS150° RS150° RS150° RS150	MRS 150° MRS 150° MRS 150° MRS 150° MRS 150° MRS 150° MRS 150° MRS 150	SS 150° SS 150° SS 150° SS 150° SS 150° SS 150° SS 150° SS 150° SS 150° SS 150° SS 150°
% di steiificazione	74-77	71-74	66-70	58-65
formazione del gel (minuti)	1-3	4-8	15-25	30-120
pH ottimale di gelificazione	3.1-3.4	3,0-3,3	2,8-3.1	2,6-2,9
pH della soluzione	2,9-3,5	2,9-3.	52.8-3,5	2,8-3,5
all'1% Ceneri totali		5		
(%) Perdita per		circa 12		
essiccamento (%)		meno di 3		
Arsenico (ppm)		meno del 10		
Piombo (ppm) Rame		meno di 60		
(ppm) Germi patogeni		assenza		
Germi totali per		meno di 1000		
grammo Aspetto		polvere fine color cervo		
Grammometria		scarto inferiore all'1% su un setaccio con apertura = 0,31m		

Navarro e Navarro, 1985
All'interno dell'UE (Unione Europea) esistono due standard, la marmellata e la confettura extra che contengono, con alcune eccezioni, un minimo di 30% o 45% di polpa di frutta rispettivamente.

La marmellata di alta qualità tende anche a essere prodotta con frutta di qualità superiore, il che implica una minore quantità di pectina. La tabella 5 (maggio 1990) indica quali frutti richiedono un'elevata, moderata o bassa aggiunta di pectina.

Tabella 5. Aggiunte relative di pectina HM a marmellate e confetture.

	MEDIA (circa 0,3%)	LOW s 0,3% LOW s 0,3% LOW s 0,3% LOW s 0,3% LOW s 0,3%
Ciliegia	Albicocca	Mela
Pera	Mirtillo nero	Ribes nero
Pesca Ananas	Lampone nordamericano	Ribes rosso Guava
Lampone Fragola		Prugna

Le marmellate sono spesso prodotte a partire da concentrati di frutta depectinizzati e richiedono quindi una grande quantità di pectina aggiunta dal tipo di frutta in questione.

Le pectine ad alto metossile sono utilizzate solo nelle gelatine standard con una percentuale di solidi solubili superiore al 60%. Alcuni Paesi consentono ora di ridurre lo zucchero al 30-55% di solidi solubili o anche meno.

La scelta della pectina giusta è importante (quella efficace al minor contenuto di solidi solubili e più sensibile al calcio sarà la pectina da utilizzare), ma anche il contenuto di frutta è importante. A volte, soprattutto a basso contenuto di solidi solubili, è necessario aggiungere sale di calcio per ottenere il miglior risultato. A volte si aggiungono gomme neutre per ridurre la sineresi. Il controllo del pH è molto importante.

È possibile preparare una serie di glasse per la pasticceria e la crema pasticcera utilizzando una formulazione con pectina amidata a basso metossile e sequestranti di calcio come i difosfati.

Un'area di produzione di frutta in crescita negli ultimi anni è stata la produzione di basi di frutta da aggiungere a yogurt e prodotti simili. Queste basi di frutta contenenti il 20-60% di zucchero sono state prodotte con amidi modificati come addensanti. Nonostante il loro basso prezzo, presentano problemi come il mascheramento dell'aroma e la consistenza irregolare e sono stati sostituiti in modo vantaggioso dalla pectina amidata a basso metossile.

La pectina ha anche altri usi nell'industria lattiero-casearia. La pectina ad alto metossile preserva i prodotti lattiero-caseari dall'aggregazione della caseina quando viene riscaldata a valori di pH inferiori a 4,3. Questo effetto è utilizzato per stabilizzare gli yogurt ubriachi e trattati con UHT e anche per le miscele di latte e succhi di frutta. Stabilizza anche le bevande a base di latte acidificato con prodotti a base di soia e grano, dove impedisce la precipitazione delle proteine.

Lo yogurt può essere addensato con l'aggiunta di livelli molto bassi di pectina amidata a basso metossile.

Le bevande a basso contenuto calorico sono molto chiare (dal punto di vista testuale) e presentano la caratteristica mancanza di sensazione in bocca fornita dallo zucchero nelle bevande analcoliche convenzionali. La pectina può essere utilizzata per migliorare la consistenza di questi prodotti e quindi sostituire la polpa di frutta in questi prodotti.
Nei sorbetti, nei gelati e nei ghiaccioli, la pectina può essere utilizzata per controllare la dimensione dei cristalli. Nei ghiaccioli trattiene gli aromi e i colori che normalmente tendono a fuoriuscire dalla struttura del ghiaccio.

La gelatina è stata la base tradizionale per i dessert a base di gelatina. Sono formulate con pectine amidate a basso metossile che forniscono la giusta consistenza e il giusto punto di congelamento.

Le forme di pectina sono generalmente riconosciute come sicure dalla Food and Drug Administration statunitense (Food and Nutrition Encyclopedia, 1983) e le loro specifiche legali sono stabilite a livello internazionale nel Codex alimentare (Copenhagen Pectin).

In generale, nel settore alimentare, la pectina trova applicazione nella produzione di:
- Marmellate, gelatine, conserve, creme, gelatine e composte di frutta. Circa il 75% della produzione mondiale di pectina viene utilizzata a questo scopo (Ramirez, 1980).
- Agenti dimagranti
- Frutta in scatola

- Polveri sintetiche per la produzione casalinga di gelatine.
- Preparazione di succhi naturali, per rafforzare la stabilità e la viscosità di questi prodotti.
- Stabilizzatore nella produzione di gelati.
- Produzione di salse.
- Stabilizzante e dimagrante in condimenti per insalate e bevande a base di latte.
- Conservazione di alimenti refrigerati e congelati, evitando perdite d'acqua durante lo scongelamento.
- Produzione di dolci e confetteria
- Lavorazione dello strato esterno delle salsicce.
- Panificazione, si utilizza il 5% di pectina rispetto al peso della farina. - Gelati, dessert e industria del latte.

Viene utilizzato in medicina e nell'industria farmaceutica per compiti quali: Pulizia intestinale, trattamento delle ferite, preparando medicazioni e bendaggi, facilitando la guarigione delle ferite (Saldarriaga, 1974), trasfusioni di sangue, come sostituto del plasma sanguigno. Nella preparazione dell'insulina. Nella preparazione della penicillina, per ridurre il grado di assorbimento. Prolunga l'azione di adrenalina, ormoni naturali, streptomicina, efedrina, ecc. Preparazione di unguenti per ulcere cutanee, trattamento di shock traumatici, regolatore del tratto intestinale. Per il trattamento endovenoso dello shock. È un buon legante del sangue, per questo viene utilizzato nel trattamento delle emorragie intestinali; tuttavia, la soluzione di pectina non deve essere utilizzata in eccesso perché nell'organismo si forma un composto di natura sconosciuta (Ramirez, 1980).

Nell'industria cosmetica e dei prodotti per l'igiene personale viene utilizzato nella preparazione di dentifrici e come assorbente nei saponi.

Nell'industria metallurgica viene utilizzata per la tempra dell'acciaio o di altre leghe; si può usare una soluzione dallo 0,2 al 4%; la pectina è più vantaggiosa degli oli perché l'operazione è facilmente regolabile modificando le concentrazioni (Saldarriaga. 1974). Viene utilizzata anche per il rivestimento di fogli di alluminio.

Oltre a quanto sopra, viene utilizzato nell'industria delle materie plastiche per la fabbricazione di prodotti schiumogeni come agenti di finitura e leganti. Nella preparazione di fibre. Nella produzione di carta cellophane e nastri decorativi e nella preparazione di sostanze adesive come sostituto della destrina.

3.3.5.6 **MERCATO DELLA PECTINA**

Tra i produttori mondiali figurano: Hercules Incorporated, CpKelco (Danimarca), Danisco (USA), Herbstreith & Fox (Germania), Obipektin (Svizzera) e Degussa (Germania) (Associazione internazionale dei produttori di pectina).

La quantità di pectina consumata a livello nazionale è interamente importata, a causa dell'assenza di aziende produttrici di pectina in Colombia, il che implica prezzi di vendita elevati per questo prodotto.

Sul mercato, la pectina viene offerta in chilogrammi e il suo prezzo di vendita dipende dalla sua classificazione. La pectina a basso contenuto di metossile viene offerta a 60.000 dollari più IVA al chilogrammo, quella a "presa rapida" e quella a "presa lenta" hanno un prezzo di vendita di 35.000 dollari più IVA al chilogrammo (dati forniti da Bell Chem Internacional S.A., Medellín). Il prezzo è fortemente influenzato dal grado di solidi solubili richiesti per la gelificazione: minore è la quantità di solidi solubili richiesti, maggiore è il prezzo della pectina.

Nel mercato colombiano esistono diversi distributori di pectina a livello nazionale, tra cui la società Quimerco S.A. e Danisco Colombia Ltda.

Quimerco S.A. è una società che rappresenta undici aziende straniere di primo piano; immagazzina e distribuisce ingredienti alimentari, materie prime chimiche e materie plastiche per l'industria degli adesivi, delle vernici e degli alimenti; la sua attività è concentrata esclusivamente in Colombia.

Il fornitore di pectina di Quimereo S.A. è CPKelco, che ha più di 2.000 clienti in 100 Paesi e impianti di produzione in Nord America, Europa, Asia e America Latina (Brasile).

Un altro importante produttore di pectina, che detiene il 25% del mercato mondiale, è Danisco, con impianti di produzione in Brasile, Messico e Repubblica Ceca.

Sia Quimerco S.A. che Danisco Colombia Ltda. hanno sede a Bogotà e da lì distribuiscono i loro prodotti in tutto il Paese. A livello regionale, la pectina è distribuita dalle società Bell Chem Internacional S.A. e Distribuidora Córdoba.

Le importazioni di pectina provengono da diversi Paesi come Messico, Argentina, Francia, Brasile, Cina, Danimarca, Svizzera, Germania e Belgio (Legiscomex, 2007).

Infine, è importante sottolineare la quantità totale di pectina importata in questi tre anni (2004-

2006), come mostrato di seguito (vedi figura 7):

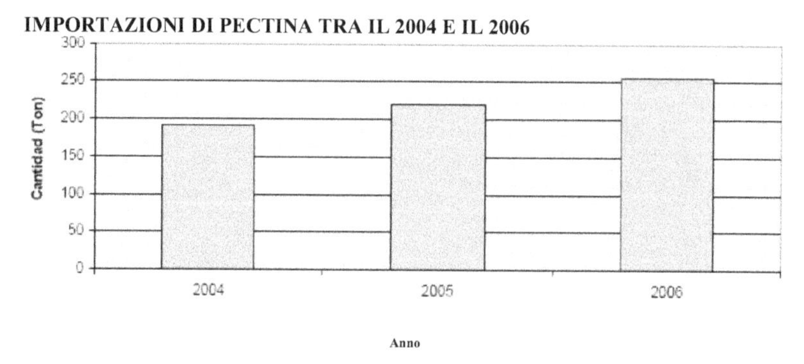

Figura 7: Quantità totale di pectina importata dalla Colombia negli anni dal 2004 al 2006.

La Figura 7 mostra come l'uso della pectina sia progressivamente aumentato nel corso degli anni: nel 2004 sono state importate 193.039 tonnellate di pectina, nel 2005 27.197 tonnellate in più rispetto al 2004 e nel 2006 35.856 tonnellate in più rispetto all'anno precedente.

Il mercato della pectina in Colombia si concentra essenzialmente sull'industria alimentare per la produzione di marmellate, dolci, snack, dessert e gelati, tra gli altri. In particolare, la pectina a bassa esterificazione viene utilizzata nella produzione di marmellate morbide spalmabili, marmellate dietetiche, yogurt, nettari, succhi, salse e gelati.

Le aziende consumatrici acquistano la pectina secondo i parametri di gelificazione rapida, medio-rapida o lenta, ma la maggior parte di esse non sa se si tratta di pectina ad alta o bassa esterificazione, e i consigli forniti dai distributori sul prodotto più adatto alle loro esigenze giocano un ruolo molto importante.

3.3.6 OLI ESSENZIALI

Gli oli essenziali possono essere ottenuti dalla buccia d'arancia, che è uno degli ingredienti di base dell'industria profumiera, alimentare, agricola e farmaceutica.

Gli oli essenziali si formano nelle parti verdi (clorofilliane) della pianta e, con la crescita, vengono trasportati ad altri tessuti, in particolare alle gemme da fiore. La funzione esatta di un olio essenziale in un vegetale è sconosciuta; può essere quella di attirare gli insetti per l'impollinazione o di respingere gli insetti dannosi, oppure può essere semplicemente un intermedio metabolico.

Gli oli essenziali sono liquidi volatili, per lo più insolubili in acqua, ma facilmente solubili in alcol, etere, oli vegetali e minerali. In genere non sono oleosi al tatto. In un olio essenziale si possono trovare idrocarburi aliciclici e aromatici e i loro derivati ossigenati, ad esempio alcoli, aldeidi, chetoni, esteri, sostanze solforate e azotate. I composti più comuni sono biologicamente derivati dall'acido mevalonico e sono classificati come terpeni; i più abbondanti sono i monoterpeni (C10) e i sesquiterpeni (C15). Sono ingredienti di base dell'industria dei profumi e vengono utilizzati in saponi, disinfettanti e prodotti simili.

I composti disciolti negli oli essenziali possono essere classificati come segue:
Esteri. Principalmente acido benzoico, acetico, salicilico e cinnamico. **Alcoli.** Linalolo, geraniolo, citronellolo, terpinolo, mentolo, borneolo.
Aldeidi. Citrale, citronellal, benzaldeide, cinnamaldeide, aldeide cuminica, vanillina.
Acidi. Benzoico, cinnamico, miristico, isovalerico, tutti allo stato libero. **Fenoli.** Eugenolo, timolo, carvacrolo.
Chetoni. Carvone, mentone, pulegone, irone, fenchone, tujone, canfora, metilnonilchetone, metil eptenone.
Esteri. Cinolo, etere interno (eucaliptolo), anetolo, safrolo.
Lattosio. Cumarina.
Terpeni. Camphene, pinene, limonene, phellandrene, cedrene.
Idrocarburi. Cimene, stirene (feniletilene).

Gli oli essenziali di agrumi sono insolubili in acqua, ma diventano più solubili se usati in basse concentrazioni utilizzando l'alcol come solvente. A volte formano soluzioni scure difficili da chiarificare. È quindi auspicabile rimuovere i terpeni e i sesquiterpeni. A questo scopo si possono applicare due metodi: la distillazione frazionata a pressione ridotta o l'estrazione dei composti ossigenati più solubili (principali portatori dell'odore) con alcol diluito e altri solventi.

Alcuni oli contengono una grande quantità di terpeni. Ciò è particolarmente vero per gli oli di limone e arancio, che contengono fino al 90% di d-limonene nella loro composizione normale. I terpeni e i sesquiterpeni non solo sono di scarso valore per la forza e il carattere degli oli, ma si ossidano e polimerizzano rapidamente a riposo, formando composti dal forte sapore di trementina. Inoltre, i terpeni sono insolubili nella bassa gradazione dell'alcol utilizzato come solvente, per cui formano soluzioni scure difficili da chiarificare. È quindi auspicabile rimuovere i terpeni e i sesquiterpeni da molti oli. Questo tipo di olio, ad esempio l'olio di arancia, è 40 volte più forte dell'originale e produce una soluzione chiara nell'alcol diluito. L'olio ha ora una leggera tendenza all'irrancidimento, pur non avendo la freschezza originale. Poiché ogni olio ha una composizione diversa, la deterpenazione richiede un processo speciale. Si possono applicare due metodi: la rimozione di terpeni, sesquiterpeni e paraffine mediante distillazione frazionata a pressione ridotta, oppure l'estrazione dei composti ossigenati più solubili con alcol diluito o altri solventi.
Il vantaggio principale degli oli essenziali è che possono essere utilizzati in qualsiasi alimento e la FDA li ha considerati come sostanze GRAS (Generally Regarded as Safe), a condizione che il loro effetto sia ottenuto con un cambiamento minimo delle proprietà organolettiche dell'alimento (Viuda-Martos *etal.*, 2008; Burt, 2004).

3.3.6.1 Proprietà fisiche e organolettiche degli oli essenziali. Gli oli essenziali sono generalmente liquidi a temperatura ambiente. La loro volatilità, ovvero la capacità di evaporare a contatto con l'aria a temperatura ambiente, li differenzia dagli oli fissi. Nei composti aromatici, il peso molecolare è limitato a un massimo di 250g/mol, in modo che le sostanze possano volatilizzarsi (Pauli, 2001). Sono facilmente alterabili o sensibili all'ossidazione, anche se non irrancidiscono come i lipidi. Hanno la tendenza a polimerizzare, portando alla formazione di prodotti resinosi, soprattutto quelli contenenti alcoli terpenici insaturi, che variano in odore, colore e viscosità. Sono oli grassi, facilmente solubili in solventi organici, come l'etere di petrolio, il cloroformio, il benzolo o l'alcol assoluto; e quasi insolubili in acqua, alla quale comunicano il loro odore (Pérez, 2006). La densità degli oli essenziali varia da 0,84 a 1,18 g/cm^3 ; la maggior parte di essi è meno densa dell'acqua. Hanno un alto indice di rifrazione, con una media di 1,5, e sono generalmente otticamente attivi (Pérez, 2006).

3.3.6.2 Composizione degli oli essenziali

All'interno della stessa specie, la composizione qualitativa e quantitativa dell'olio essenziale può variare a seconda della parte in esame, delle condizioni dell'ambiente in cui si è sviluppata, del periodo dell'anno, della sua particolare dotazione genetica, ecc. Si può dire che si possono ottenere più di 60 singoli composti, ma i componenti principali costituiscono più dell'85% dell'olio essenziale (Coronel, 2004). I composti principali includono terpeni, composti aromatici derivati dal fenilpropano e vari altri composti. Questi ultimi si trovano in piccole quantità e sono acidi organici come acetico, valerico, isovalerico, cumarine e chetoni a basso peso molecolare, ecc. Perez (2006),

Gli oli essenziali degli agrumi contengono l'85-99% di componenti volatili che sono una miscela di monoterpeni come il limonene, i sesquiterpeni e i loro derivati ossigenati, tra cui aldeidi come il citrale, chetoni, acidi, alcoli come il linalolo ed esteri (Fisher e Phillips, 2008).

Nell'olio essenziale di arancio sono stati trovati 200 diversi composti chimici, di cui 100 sono stati identificati. I monoterpeni comprendono fino al 97% della composizione e il resto è costituito da alcoli, aldeidi ed esteri (1,8-2,2%). Il componente principale di questi oli è il limonene, la cui struttura è mostrata nella figura 8. Questo composto può comprendere fino al 98% della composizione dell'olio essenziale di arancio (Fisher e Phillips, 2008).

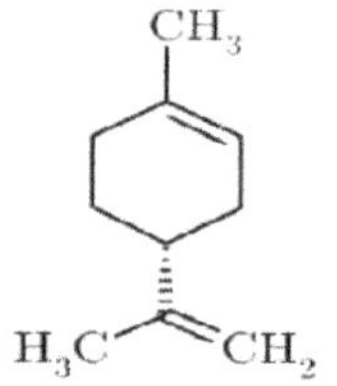

Figura 8. Struttura chimica del limonene
(Merck Chemicals, 2009)

Il limonene è un idrocarburo classificato tra i terpeni ciclici; ne esistono tre forme: d, l e dl.

- Si tratta di un solvente naturale biodegradabile presente negli agrumi, con interessanti proprietà chimiche, aroma gradevole e qualificato come sicuro ed ecologico.
- Può essere utilizzato in forma pura, miscelato con altri solventi o oli, o come emulsionante per realizzare prodotti di pulizia solubili in acqua.
- È insolubile in acqua (Stashenko, 2000).

La Tabella 6 mostra le caratteristiche tecniche del limonene tecnico e alimentare.

Tabella 6. Caratteristiche tecniche del limonene

Caratteristica	Grado tecnico	Grado alimentare
Aspetto	Liquido oleoso acquoso da giallo a bianco	Acqua bianca e oleosa
Odore	Forte aroma di arancia	Leggero aroma di arancia
Peso specifico (25°C)	0,838-0,843 g/cm^3	0,838-0,843 g/cm^3
indice di rifrazione (20°C)	1,4710-1,4740	1,4710-1,4740
Punto di infiammabilità (punto di infiammabilità)	46°C	45°C
Punto di ebollizione	154°C	163°C
Solubilità in acqua	Insolubile	Insolubile
Pressione di vapore (20°C)	2 mmHg	2 mmHg

3.3.6.4 Estrazione degli oli essenziali

Gli oli essenziali si ottengono attraverso metodi come la spremitura, l'estrazione, la fermentazione o la distillazione, ottenendo rese di estrazione che vanno dallo 0,1 al 2%, con alcune eccezioni, come il badiana cinese con una resa del 5% o il chiodo di garofano, con oltre il 15% di olio essenziale (Costa-Batllori, 2003).

- **Estrazione per distillazione in corrente di vapore con distillazione in corrente di vapore**

La distillazione in corrente di vapore è una tecnica utilizzata per separare sostanze insolubili in acqua e leggermente volatili da altri prodotti non volatili ad esse mescolati. È la più utilizzata, sia a livello industriale che di laboratorio, per la produzione di oli essenziali, in quanto questi hanno composti volatili che possono essere trasportati dal vapore acqueo; è inoltre una tecnica semplice ed economica, molto versatile se applicata a diversi materiali vegetali (Jiménez *et al.*, 2006; Ortuño, 2006).

Il fondamento di questa tecnica di estrazione è dato dalla rottura del tessuto vegetale per effetto della temperatura del vapore (100°C), che rilascia l'olio essenziale dopo un certo tempo (Sanchez, 2006).

Le sostanze che trasportano vapore sono immiscibili in acqua, hanno una bassa pressione di vapore e un alto punto di ebollizione. Quando si distilla una miscela di due liquidi immiscibili, il suo punto di ebollizione sarà la temperatura alla quale la somma delle pressioni di vapore di ciascun liquido è uguale alla pressione atmosferica (Jiménez *etal.*, 2006).

In questa tecnica, il campione viene posto in un recipiente attraverso il quale viene fatto passare il vapore acqueo generato in un altro recipiente. Un flusso di vapore acqueo viene fatto passare attraverso il campione contenente il composto da estrarre; ciò provoca il riscaldamento del campione e il vapore trasporta i componenti volatili in un sistema di raffreddamento tipico di una semplice distillazione. Il distillato viene raccolto, separato e purificato (Pérez, 2006).

- **Estrazione per idrodistillazione con dispositivo Clevenger assistito da microonde.**

L'estrazione assistita da microonde (MAE) è un processo che utilizza l'energia delle microonde per riscaldare i solventi a contatto con un campione al fine di partizionare gli analiti dalla matrice del campione al solvente. È molto utile perché riduce i tempi di estrazione, in quanto l'energia delle microonde o del campo magnetico a superfrequenza (2450 MHz) viene convertita principalmente in calore nelle sostanze costituite da molecole polari e, come risultato dell'intensa formazione di vapore nella struttura poro-capillare del materiale vegetale, si sviluppano alte pressioni, alterando le proprietà fisiche e, d'altra parte, un minor deterioramento del tessuto vegetale rispetto al riscaldamento convenzionale.

- **Altri metodi**

Oltre alla distillazione in corrente di vapore e all'idrodistillazione di Clevenger assistita da microonde, esistono altri metodi per ottenere oli essenziali, come la spremitura a freddo, l'estrazione a caldo dei grassi (enfleurage) e l'estrazione con solventi, sia derivati del petrolio, sia fluidi supercritici o solventi non petroliferi (Ortuño, 2006).

3..3.7. METODI DI ANALISI - ESTRAZIONE E ISOLAMENTO).

L'isolamento viene effettuato con uno o più metodi cromatografici, come la cromatografia su colonna, la cromatografia su strato sottile e l'HPLC. Per la cromatografia su colonna e su strato sottile si utilizza ampiamente il gel di silice come fase stazionaria. Come fase mobile si utilizzano solventi apolari puri o misti come: toluene-etil acetato 93:7, benzene, cloroformio, diclorometano, benzene-etil acetato 9:1, benzene-etil acetato 95:5, cloroformio-benzene 75:25, cloroformio-etanolo-acido acetico 94:5:1 (Wagner, H., 1984), cloroformio-benzene 1:1 (Harborne, 1973; Stahl, 1969).

Tuttavia, oggi si utilizzano tecniche di separazione più efficienti e veloci come la cromatografia liquida ad alte prestazioni HPLC e la gascromatografia (GC) (Dugo, 1992; Griffiths, 1992; Ingham, 1993), nonché combinazioni HPLC-GC-MS "ON-LINE" (Mondello, 1994; Mondello, 1996). Gli stessi metodi sono utilizzati per l'analisi delle essenze floreali (Barkman, 1997).

Quest'ultima tecnica, grazie al recente sviluppo di colonne capillari ad alta risoluzione, permette di analizzare miscele complesse presenti negli oli essenziali e di identificare i componenti dai tempi di ritenzione attraverso i cosiddetti indici di ritenzione di Kovats (Ik) (Denayer, 1994). Questi valori sono caratteristici per ogni componente ed esistono banche dati con gli indici di molti componenti degli oli essenziali.
I valori di Ik sono determinati su due colonne cromatografiche, una polare (ad es. CARBOWAX 20M) e una non polare (ad es. OV-101 detta anche DB-1).

La Figura 9 mostra il gascromatogramma ottenuto per l'olio essenziale di buccia d'arancia (Blanco Tirado, 1995).

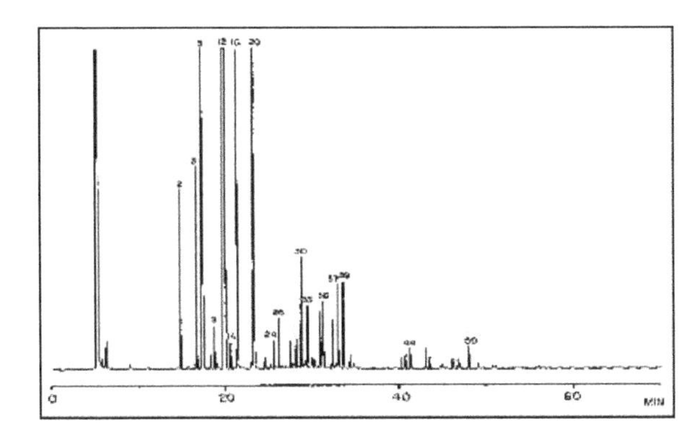

Figura 9. Gascromatogramma ottenuto per l'olio essenziale di buccia d'arancia.

Inoltre, la tecnica accoppiata Gas Cromatografia-Spettrometria di Massa permette di ottenere gli spettri di massa di ciascun componente con i quali è possibile ottenere il peso molecolare e le informazioni strutturali (Maat, 1992). Esistono anche banche dati con gli spettri di massa di molti componenti, per cui l'indice di Kovats (determinato in due colonne di diversa polarità) e gli spettri di massa sono criteri per l'assegnazione chimica di molti componenti degli oli essenziali, non solo monoterpeni ma anche altri tipi di sostanze caratteristiche di questi oli.

Più recentemente, sono state sviluppate colonne cromatografiche chirali per la separazione di componenti otticamente attivi (Ochocka, 1997) e sono stati sviluppati metodi per l'analisi combinata HPLC-MS e HPLC-NMR di miscele di sesquiterpeni (Vogler, 1998).

3.3.7.1. GASCROMATOGRAFIA (GC)

Il gascromatografo separa una miscela nei suoi singoli componenti, che poi entrano uno per uno nella sorgente ionica dello spettrometro di massa o in qualsiasi altro dispositivo di rilevamento.

Il successo dell'applicazione della GC allo studio degli OE è stato possibile grazie allo sviluppo di colonne capillari che consentono la separazione di miscele di diversa polarità o isomeria (monoterpeni, sesquiterpeni, ecc.). Le fasi stazionarie più comunemente utilizzate dalla GC per l'analisi degli oli essenziali sono: CARBOWAX 20M [poli (etilenglicole), fase polare] e OV-101 (DB-1, HP-1, SP-30) [poli (dimetilsilossano)], fase non polare (Jennings, 1980).

Il tempo di ritenzione non è un parametro completamente affidabile per l'analisi qualitativa, poiché dipende da molte variabili sperimentali, quali: il tipo di colonna, il flusso del gas di trasporto, la quantità di campione iniettato, ecc. Kovats (Kováts, 1958) ha proposto un sistema di tassi di ritenzione che serve come base per l'analisi qualitativa dei componenti di miscele complesse (identificazione provvisoria).

Il sistema degli indici di ritenzione di Kovats si basa sul confronto tra la posizione del picco di un analita nel cromatogramma e i corrispondenti picchi di idrocarburi lineari, uno dei quali eluisce prima del componente di interesse e l'altro dopo. Per il loro calcolo si utilizza la seguente relazione matematica, nel caso di una corsa cromatografica a rampa di temperatura:

$I_K = 100*n + 100*[(T_x - T_1) / (T_2 - T_1)]$ Equazione 1

Dove:
I_K: indice Kovats
n: numero di carboni dell'idrocarburo standard che eluisce prima dell'analita di interesse.
T_X : tempo di ritenzione dell'analita di interesse.
T_1: tempo di ritenzione dell'idrocarburo standard che eluisce prima dell'analita di interesse.
T_2: tempo di ritenzione dell'idrocarburo standard che eluisce dopo l'analita di interesse.

3.3.7.2. SPETTROMETRIA DI MASSA (MS)

La spettrometria di massa è un metodo di analisi rapido e sensibile che consente di ottenere la massima quantità di informazioni strutturali con la minima quantità di campione (10-6-10 -14 g).

Lo spettro di massa è un grafico che mette in relazione le masse di ioni specifici (più precisamente, i valori del rapporto massa/carica degli ioni, *m/z)* con le rispettive concentrazioni nella corrente ionica totale (TIC) prodotta dalla ionizzazione e dalla frammentazione delle molecole di analita nella camera di ionizzazione.

Lo spettro di massa fornisce informazioni sulla massa molecolare, sulla composizione elementare di una sostanza (quando si utilizza la MS ad alta risoluzione) e, in alcuni casi, consente di stabilire la struttura spaziale della molecola.

Gli spettri di massa dei terpeni, i principali costituenti degli oli essenziali, sono nella maggior parte dei casi molto simili. La loro identificazione con il metodo MS si basa principalmente su differenze quantitative (abbondanze ioniche). Tuttavia, sono stati individuati criteri sperimentali (rapporto tra le intensità dei picchi degli ioni molecolari e caratteristici, MS della collisione attivata, energia cinetica rilasciata durante le transizioni metastabili, ecc.) per l'identificazione dei terpeni (fondamentalmente monoterpenoidi) attraverso i loro spettri di massa (Konig, 1998; Adams, 1995).
In diversi lavori (Konig, 1998), l'identificazione dei sesquiterpeni viene effettuata sulla base dei loro indici di Kovat. La struttura di un sesquiterpene è considerata stabilita solo se i suoi spettri di massa e gli indici di Kovat per due fasi stazionarie (polare e apolare) corrispondono a quelli della sostanza madre e a quelli delle banche dati degli spettri di massa (pattern di frammentazione) e degli indici di Kovat di questi composti (Jennings, 1980; Adams, 1995).

3.3.7.3. GASCROMATOGRAFIA ACCOPPIATA ALLA SPETTROMETRIA DI MASSA (GC-MS).

L'accoppiamento di un gascromatografo con uno spettrometro di massa consente un'analisi rapida e affidabile di miscele complesse, determinando contemporaneamente quanti e quali costituenti sono presenti nella miscela e in quali proporzioni. Questo metodo è altamente sensibile e può rilevare componenti in quantità di picogrammi.

Il moderno sistema GC-MS è costituito da tre blocchi principali: gascromatografo, spettrometro di massa e sistema dati. Il sistema dati computerizzato esegue la conversione dei segnali provenienti dallo spettrometro di massa in cromatogrammi e spettri di massa standardizzati, consentendo di ottenere informazioni strutturali per ciascuno dei componenti della miscela (Stashenko, 1998; Adams, 1995; Schreier, 1984).

3.3.7.4. APPLICAZIONI DEGLI OLI ESSENZIALI

Gli oli essenziali hanno proprietà medicinali e sono stati utilizzati fin dall'antichità per curare le malattie.

La scienza moderna le elabora in farmaci o rimedi specifici per prevenire o curare diversi disturbi umani e animali. In base alle loro proprietà, sono ampiamente utilizzati per il sistema digestivo, respiratorio, nervoso e circolatorio. Attualmente sono ampiamente utilizzati nell'aroma terapia in tutto il mondo.

Questi oli forniscono all'industria alimentare sapori e aromi caratteristici, ampiamente utilizzati in panifici, marmellate, dolciumi, caramelle, bibite, gelati, conservanti, biscotti, prodotti caseari, ecc.
Sono utilizzati nell'industria chimica per fornire aromi a prodotti per la pulizia come deodoranti per ambienti, profumi, saponi, detergenti, lavastoviglie, prodotti ospedalieri, insetticidi e disinfettanti.
Sono utilizzati nell'industria cosmetica per la produzione di colonie, profumi, saponi da toilette, creme di vario tipo, shampoo, deodoranti, balsami e fissatori per capelli, ecc.

Hanno diversi usi nell'agroindustria, come insetticidi naturali, mangimi bilanciati per suini e pollame da ingrasso, aromi per il tabacco, ecc. A seconda del prodotto lavorato, il materiale vegetale residuo, una volta estratto l'olio, viene utilizzato come integratore alimentare per bovini, suini o pollame o come fertilizzante naturale (Martínez, 2003).

Capitolo 4

4 OBIETTIVI

4.1 Generale

Ottenere e valutare gli oli essenziali e la pectina dei sottoprodotti dell'arancia (citrus sinensis) di varietà valenciana coltivata in due aree co-regionali del comune di Chimichagua per determinarne l'uso nell'industria alimentare.

4.2Specifico

- Effettuare analisi fisico-chimiche dei frutti dell'arancia di Valencia.
- Estrazione degli oli essenziali mediante stripping a vapore della buccia, delle membrane e delle vescicole di succo rimanenti.

- Estrarre le pectine con metodo convenzionale dalla buccia, dalle membrane e dalle vescicole di succo rimanenti.
- Valutazione degli oli essenziali e della pectina estratta
- Stabilire l'applicazione degli oli essenziali e della pectina nell'industria alimentare in base ai risultati della valutazione.

Capitolo 5

5 METODOLOGIA

5.1 Revisione della letteratura

Per fornire le informazioni necessarie a questa ricerca sono state esaminate banche dati, progetti di laurea, libri, articoli, pagine web e visite tecniche.

5.2 Raccolta di materiale vegetale

Le arance della specie *Citrus Sinensis osbeck*, varietà Valenciana, famiglia delle Rutaceae, coltivate in appezzamenti situati nella zona rurale del comune di Chimichagua, a 250 km da Valledupar, sono state raccolte rispettivamente nei mesi di giugno-luglio e dicembre 2010, seguendo la norma NTC 756.
I campioni sono stati prelevati indipendentemente da due parcelle, ciascuna di un ettaro (100 m per 100 m) nella Finca los deseos (coordinate geografiche: N 1014988 - W1527263), situata nella frazione di el Carmen, nel villaggio di Mandinguilla e nella Finca Nueva Esperanza (coordinate geografiche: N 1008903 - W1524140), situata nel villaggio di Higo amarillo. In totale sono stati campionati sedici siti corrispondenti a una maglia di 20 m X 20 m (figura 10), prelevando i frutti dalle linee di 20, 40, 60 e 80 m per un totale di 16 alberi.

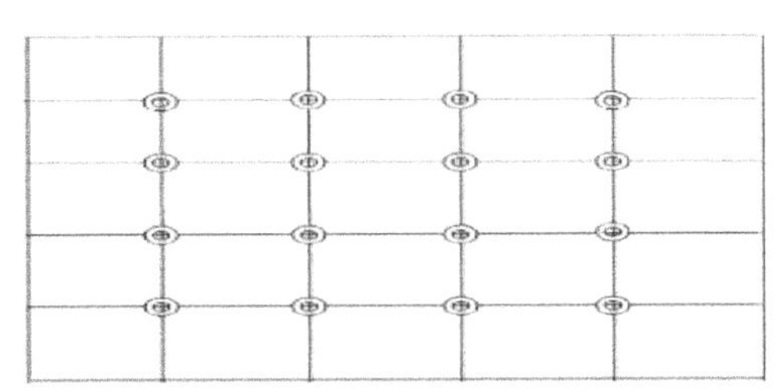

Figura 10. Schema di campionamento dei frutti.

Da ogni albero sono stati raccolti 50 frutti di diversi stadi di maturazione, secondo la tabella stabilita nelle NTC 4086.
I frutti sono stati raccolti in cesti di plastica, lavati con acqua potabile per rimuovere la sporcizia e portati all'impianto pilota del programma agroindustriale dell'Universidad Popular del Cesar per selezionare arance intere, sode, fresche, sane e prive di sostanze estranee visibili, prive di macchie nere, ammaccature marcate, insetti, umidità esterna, prive di attacchi di insetti, prive di danni dovuti a forti sbalzi di temperatura, prive di odore e sapore estranei, secondo lo standard NTC 1268.

5.3 Analisi fisico-chimica delle arance di Valencia.

Le analisi fisico-chimiche sono state eseguite secondo la tabella 7.

Tabella 7. Analisi fisiche effettuate sulle arance di Valencia.

Caratterizzazione fisica del frutto	
Parametro	**Metodo**

Determinazione del colore	NTC 4086
Peso totale	Gravimetria
Contenuto di succo, guscio e semi	Classificazione gravimetrica
Diametro.	Misura diretta

Fonte: Seminario di ricerca sulla pectina

Il succo d'arancia è stato rimosso con uno spremiagrumi manuale e il residuo contenente esocarpo, membrane e vescicole è stato lavato con abbondante acqua per rimuovere le impurità solide e solubilizzare gli zuccheri. Il materiale è stato tagliato in pezzi di 1 x 1 cm (vedi immagine 1) e conservato a 4°C.

Immagine 1. Bucce d'arancia tagliate a pezzi.

Il succo e le bucce sono stati sottoposti alle seguenti analisi (tabella 8)

Tabella 8. Analisi fisico-chimiche del succo e delle bucce d'arancia

Analisi fisico-chimica del succo.	
Parametro	**Metodo**
PH	NTC 4592
Determinazione dell'acidità titolabile	NTC 4086 e NTC 4623
Determinazione dei solidi totali solubili.	NTC 4086 e NTC 4624
Determinazione degli indici di maturità	Relazione tra acidità e solidi totali solubili.

Analisi fisico-chimica dei gusci.	
Contenuto di umidità	A.O.A.C
Percentuale di ceneri	Calcinazione a 550 C°
Determinazione del contenuto di grassi.	NTC 668
Determinazione del contenuto di fibra grezza	NTC 668

Fonte: Gruppo di ricerca sulle pectine e i polisaccaridi.
È stato utilizzato un disegno completamente randomizzato, confrontando i contenuti a diversi stadi di maturazione utilizzando il test di confronto multiplo di Duncan al 95% di probabilità.

In base ai risultati ottenuti nell'analisi fisico-chimica dell'arancia, le migliori caratteristiche sono state ottenute allo stadio di maturazione 2, per cui le prove di estrazione dell'olio essenziale e della pectina sono state effettuate in questo stadio.

5.4 Estrazione degli oli essenziali.

5.4.1 Estrazione a trascinamento di vapore.

Il metodo utilizzato per l'estrazione degli oli essenziali è stato quello dell'estrazione a vapore; 50 g del campione da estrarre (flavedo, albedo e vescicole di succo rimanenti) sono stati sminuzzati e poi posti in un pallone volumetrico a distacco laterale con un rapporto di 1/3 di guscio e distillato d'acqua (150 ml). Quindi è stato allestito un assemblaggio come mostrato nella figura 2 (sono state aggiunte alcune perle di vetro).

Immagine 2. Estrazione di oli essenziali mediante trascinamento di vapore.

Il pallone è stato riscaldato con l'acqua utilizzando il bruciatore; il vapore formatosi ha trascinato gli oli che si sono poi condensati per essere raccolti in un altro recipiente.
Il riscaldamento è stato mantenuto fino a quando non è stato rilasciato più olio.
Il condensato è stato poi evaporato a bagnomaria fino a quando l'olio è rimasto sul fondo del recipiente e la resa dell'olio essenziale ottenuto è stata quantificata per differenza di peso.

Poiché le rese ottenute erano troppo basse (<0,1%) e la separazione dell'olio essenziale era impossibile, perché rimaneva aderente al palloncino, si è deciso di utilizzare un altro metodo di estrazione. Si trattava di Clevenger con microonde.

5.4.2 Estrazione con il metodo dell'idrodistillazione con dispositivo Clevenger assistito da microonde.

I campioni sono stati posti in un pallone da 2,5 L che è stato collocato in un forno a microonde MARS a 2,45 GHz a pressione atmosferica, la cui temperatura è stata controllata da RPT 300 plus. Il pallone è stato accoppiato a un dispositivo Clevenger raffreddato con etanolo a -5°C e a un sistema di agitazione magnetica. Le estrazioni sono state eseguite in triplo a una potenza di 600 W, un tempo di 10 minuti, con 150 mL di acqua o in assenza di solvente. L'olio essenziale raccolto è stato essiccato con solfato di sodio anidro, pesato e analizzato.

5.5 Analisi dell'olio essenziale ottenuto.

La caratterizzazione dell'olio è stata effettuata presso il gruppo di catalisi ambientale della facoltà di ingegneria dell'Università di Antioquia. È stato utilizzato un gascromatografo *Agilent Technologies Series GC System* (Palo Alto, USA), accoppiato a un rivelatore selettivo di massa *Agilent Technologies*, dotato di una porta di iniezione *split/splitless* (*split* 1:30) e di un sistema di dati *HP ChemStation* 1.05. Per la separazione delle miscele è stata utilizzata una colonna capillare DB-5MS (J *& W Scientific, Folsom*, USA) con fase stazionaria in fenil-polimetilsilossano al 5% (60 m x 0,25 mm, D.l. x 0,25 pm, df). La temperatura del forno è stata programmata da 45° C (5 min) a 150° C (2 min) a 4OC/min, quindi aumentata a 250OC (5 min) a 5OC/min. Infine, la temperatura è stata aumentata a 10OC/min, fino a raggiungere 275OC (15 min). Le temperature della camera di ionizzazione e della linea di trasferimento erano rispettivamente 230 e 285OC. Il gas di trasporto era elio (99,995%). Gli spettri di massa e di corrente ionica ricostruiti sono stati ottenuti mediante scansione automatica in frequenza (full *sean*), a 4,75 scansioni s^{-1} , nell'intervallo di massa *m/z* 30-450.

Le estrazioni sono state eseguite in triplo e l'analisi dell'olio essenziale con il metodo dell'idrodistillazione con dispositivo Clevenger è stata effettuata nel laboratorio di catalisi ambientale dell'UdeA. Vedi immagine 3.

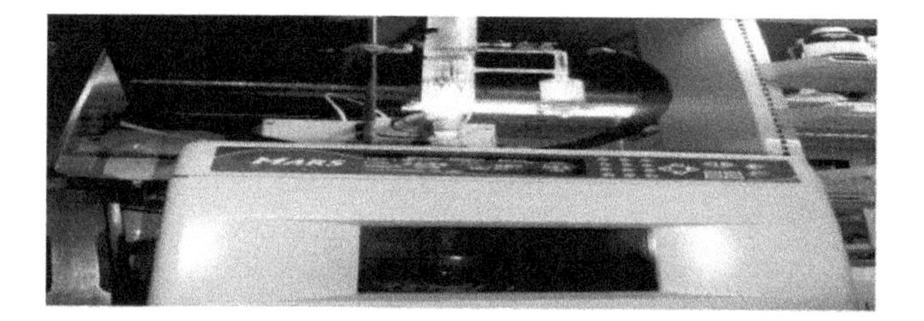

Figura 3. Estrazione degli oli essenziali con il metodo dell'idrodistillazione con il dispositivo Clevenger.

5.6 Estrazione della pectina

5.6.1 Inattivazione degli enzimi

Inattivazione degli enzimi pectinolitici delle bucce d'arancia.

Per inattivare gli enzimi, 250 g del campione conservato sono stati prelevati in un becher da 1000 ml con un rapporto bucce/acqua distillata di 1-3 (750 ml di acqua distillata), quindi il campione è stato riscaldato fino al punto di ebollizione (98 - 99° C) (vedi figura 4), rimanendo a questa temperatura per 10 minuti. Al termine del riscaldamento, i gusci sono stati immersi in acqua fredda per evitare la degradazione termica delle pectine.
L'acqua di inattivazione è stata scartata.

5.6.1 Idrolisi acida

Al materiale solido è stata aggiunta la stessa quantità di acqua acidificata utilizzata inizialmente, cioè un rapporto materiale vegetale - acqua di 1:3, e la soluzione è stata riscaldata fino alla temperatura di ebollizione (vedi figura 5) per il tempo stabilito nei trattamenti (tabella 9) e agitata costantemente per evitare la sedimentazione e la degradazione della bagassa.

Immagine 5. Idrolisi acida della buccia d'arancia.

Tabella 9. Trattamenti per l'estrazione della pectina.

TRATTAMENTO	P H	TEMPO(min)	ACIDO
T1	2, 0	30	HCL
T2	3, 0	50	HCL

T3	2, 0	30	HNO3
T4	3, 0	50	HNO3
T5	2, 0	50	HCL
T6	3, 0	30	HCL
T7	2, 0	50	HNO3
T8	3, 0	30	HNO3

Fonte: Seminario di ricerca sulla pectina

La Tabella 12 mostra il disegno sperimentale utilizzato nell'idrolisi acida del processo di estrazione della pectina; sono stati applicati 8 trattamenti, con 3 variabili indipendenti a due livelli: tipo di acido (HNO3 e HCl), pH (2 e 3) e tempo di idrolisi (30 e 50 minuti); per tutti i trattamenti è stata utilizzata una temperatura standard di 98° C o temperatura di ebollizione.

5.6.2 Filtrazione

La soluzione risultante dall'idrolisi è stata raffreddata e filtrata con un telo di lino fino a quando la bagassa è risultata molto asciutta (vedi figura 6).

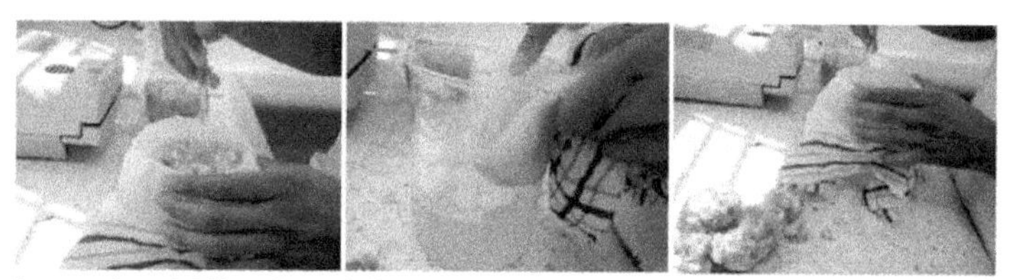

Immagine 6. Filtrazione della bagassa dopo l'idrolisi.

5.6.3 Precipitazioni

La precipitazione è stata eseguita con etanolo di grado commerciale (circa 96% p/p).

Per la precipitazione è stato utilizzato un volume di etanolo all'80% per volume di soluzione estratta.

L'etanolo è stato aggiunto lentamente alla soluzione con agitazione costante e lasciato riposare per un'ora (vedi figura 7).

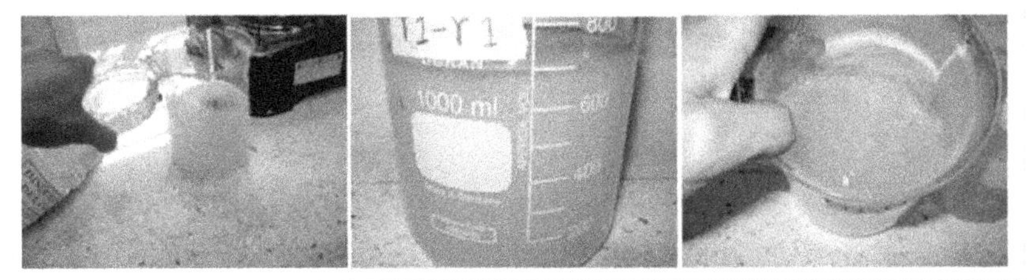

Immagine 7. Precipitazione della pectina con etanolo commerciale al 96% p/p.

5.6.4 Filtrazione del gel

Dopo un'ora di precipitazione, si è formata una soluzione bifasica. La fase superiore era caratterizzata da una consistenza gelatinosa composta principalmente da pectina, mentre la fase inferiore era costituita da etanolo, tracce di pectina e altri composti solubili in pectina.

È stato effettuato un nuovo processo di filtrazione, separando il surnatante, che è la pectina, dalla soluzione con un panno di lino (vedi immagine 8).

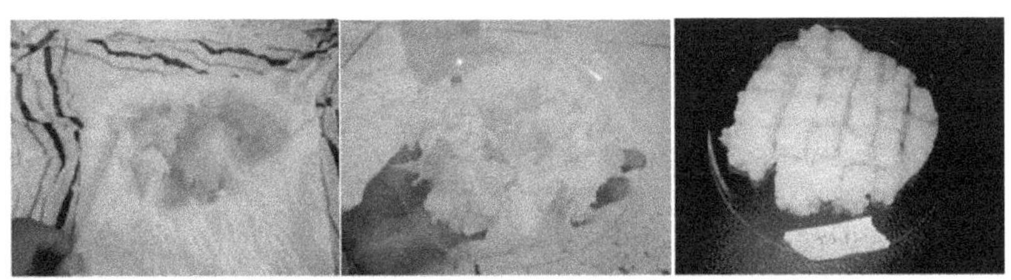

Immagine 8. Separazione della pectina per filtrazione della soluzione alcolica.

5.6.5 Asciugatura

La pectina filtrata è stata posta su bicchieri da orologio (vedi figura 9) ed essiccata in un forno a convezione naturale a 45 +/- 5°C. L'essiccazione (Memmert) è durata circa 72 ore, pesata a peso costante.

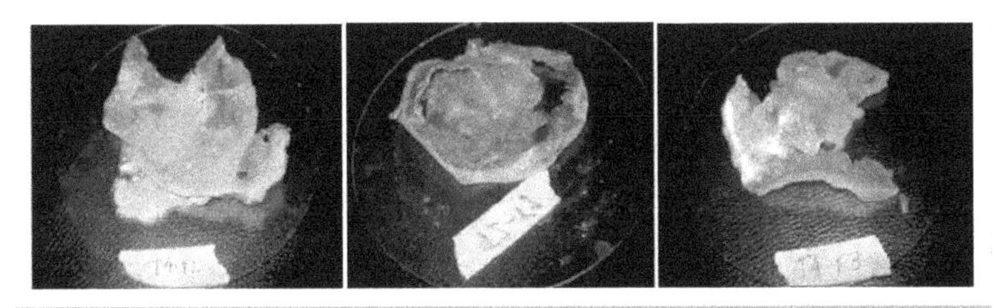

Immagine 9. Pectina essiccata

5.6.6 Triturazione

Per ridurre le dimensioni delle particelle della pectina, è stato utilizzato un mulino elettrico KIA per polverizzare il campione.

Il disegno sperimentale utilizzato è completamente randomizzato, confrontando i trattamenti in base all'acido utilizzato, utilizzando i test di confronto multiplo di Duncan al 95% di probabilità.

5.7 CARATTERIZZAZIONE DELLA PECTINA OTTENUTA

Resa in peso: è stata determinata dal rapporto tra il peso della pectina ottenuta (w2) e il peso della buccia lavorata (w1), utilizzando la seguente espressione:

$$Resa\ (\%) = \frac{w2}{w1} x100 \quad \frac{w2}{w1} x100$$

Grado di esterificazione: La determinazione del grado di esterificazione è stata sviluppata secondo la tecnica descritta di seguito (AOAC. 1980; A. M. Bochek, 2001).

- (0,2 g) di campione è stato pesato e aggiunto a un contenitore contenente 2,0 m di etanolo.
- 20 mL di acqua distillata sono stati aggiunti a 40^0 C e mantenuti sotto agitazione costante su un agitatore magnetico per un periodo di 2 ore.
- La soluzione ottenuta è stata titolata con NaOH 0,1 N in presenza di fenolftaleina fino a quando non è diventata rosa. Il volume speso in ml di NaOH per questa prima titolazione è stato misurato, la quantità di NaOH utilizzata in questa prima titolazione è stata indicata come "A" e il numero di gruppi carbossilici liberi (%) è stato calcolato con la seguente equazione:
  Dove:
  a = quantità di campione pesato
  N_{NaOH} = normalità della soluzione alcalina impiegata nella titolazione.
  A = volume di soluzione alcalina impiegato nella titolazione.
- 10 ml della soluzione di NaOH 0,1 N sono stati aggiunti al campione di acido galatturonico neutralizzato (pectina) dopo la determinazione dei gruppi carbossilici liberi. È stata tappata e lasciata agitare a temperatura ambiente per 2 ore per saponificare i gruppi carbossilici esterificati del polimero.
- Quindi sono stati aggiunti 10 ml di HCl 0,1 N e l'eccesso di HCl è stato titolato con NaOH 0,1N. Questa quantità è stata etichettata come "B".
- Il numero di gruppi carbossilici è stato calcolato dal volume di NaOH impiegato per la seconda titolazione:

  $$Kf = \frac{NNaOH * A}{a} \times 100$$

  Dove:
  a = quantità di pectina (campione) pesata
  N_{NaOH} = normalità della soluzione alcalina spesa nella seconda titolazione.

  $$Ke = \frac{NNaOH * B}{a} \times 100$$

  B = volume di soluzione alcalina impiegato nella seconda titolazione.
- Il numero totale di gruppi carbossilici (%), K_t, è pari alla somma dei gruppi liberi e esterificati: $Kt = Kf + Ke$
- Il numero di gruppi metossi nell'acido galatturonico (pectina) è stato calcolato mediante:

  $$K_{MeO} \ i. \frac{100\, ED\, x\, 31}{176 + ED\, X\, 14}$$

- Esprimere il grado di esterificazione, DE, come frazioni dell'unità.

$$ED \text{ ¿ } \frac{Ke}{Kt} x\,100 = \frac{Kt * Kf}{Kt} x\,100 = \frac{1-Kf}{Kt} x\,100$$

56,328 mg di acido galatturonico (AGA) monoidrato al 97% sono stati pesati, sciolti con 0,25 ml di NaOH 1 N e diluiti a 500 ml con acqua distillata. Si è ottenuto uno standard di 100 pg AGA per mL. Da questo standard, gli elementi per la preparazione della curva sono stati preparati in becker da 50 ml secondo la tabella 10.

Contenuto di acido galatturonico: questo test è stato eseguito sui trattamenti con la maggiore resa di pectina (T3 e T1 della pectina estratta dai campioni di arance New Hope; T1 e T7 della pectina estratta dai campioni di Orange Wish). Per ogni trattamento sono state eseguite tre repliche.

Il contenuto di acido galatturonico (AGA) è stato determinato con il metodo colorimetrico del 3,5-dimetildifenolo, secondo la seguente procedura:

Tabella 10: Preparazione della curva di calibrazione.

- **della curva di calibrazione.**

Elementi	1				5			8
AGA100µg /mL	0	2,5	5	7,5	10		40	50
Acqua distillata (ml)	50	47,5	45	42,5	40	30	10	0
[AGA µg /ml]	0	5	10			40	80	100

Analisi del campione.

Un campione di 10 mg di pectina (secca) è stato pesato in un becher da 50 mL a cui sono stati aggiunti 4 mL di acido solforico concentrato, agitando delicatamente e continuamente. È stato aggiunto 1 mL di acqua distillata a goccia e, dopo altri 5 minuti di agitazione, un altro 1 mL di acqua distillata a goccia. L'agitazione è proseguita per 30 minuti per completare l'idrolisi acida dei polisaccaridi presenti nel campione. Una volta idrolizzato, il campione è stato filtrato su fibra di vetro, i residui e i successivi lavaggi (con acqua distillata) sono stati raccolti in un pallone volumetrico da 50 mL, con ulteriore diluizione al volume finale (50 mL).

Questi estratti sono stati conservati a 4^0 C per 24 ore fino all'esecuzione delle procedure corrispondenti.

Sviluppo del colore

Da un'aliquota di 1,4 ml di ogni standard (tutte le concentrazioni da 0 a 100, cioè sono necessarie 8 provette e con quella zero è stata calibrata l'apparecchiatura) prelevata con una micropipetta in un becher da 50 ml, sono stati aggiunti 8.4 ml di soluzione di acido solforico/tetraborato (tetraborato di sodio 0,0125 M in acido solforico concentrato) sono stati aggiunti a un bagno di ghiaccio e mescolati con cura utilizzando un vortex (agitatore per provette) a velocità moderata con soste intermittenti per garantire la completa miscelazione.

I becher sono stati quindi riscaldati in un bagno di acqua bollente per 5 minuti e immediatamente posti in acqua ghiacciata per raffreddarli. Ai becher sono stati aggiunti 0,14 ml di m-idrossifenile allo 0,15% (preparato in NaOH allo 0,5%), sono stati agitati e lasciati riposare a temperatura ambiente per 15 minuti prima di eseguire la lettura finale dell'assorbanza a 520 *nm* nello spettrofotometro.

pH: si determina utilizzando un pH-metro, calibrandolo con il pH di una soluzione all'1% di pectina in acqua distillata.

Acidità libera: si determina per titolazione volumetrica, preparando una soluzione di 0,5 g di pectina in un litro di acqua distillata, neutralizzando 100 ml di soluzione con idrossido di sodio 0,1N, utilizzando la fenolftaleina come indicatore.

$$Acidez\ Libre = \frac{ml.\ de\ NaOH * Normalidad}{peso\ muestra(g)}$$

Percentuale di ceneri: è stata determinata mediante incenerimento diretto. Abbiamo pesato 1 ± 0,5 grammi di campione (w1) incenerendolo in una muffola a una temperatura compresa tra 550 +/- 50°C per quattro ore, e poi abbiamo pesato le ceneri ottenute (w2). La percentuale di ceneri viene calcolata secondo la seguente espressione:

$$Ceneri\ (\%) = \frac{W2}{W1} x100 \qquad \frac{\mathbf{w2}}{\mathbf{w1}} \mathbf{x100}$$

Contenuto di umidità: viene determinato utilizzando un forno alla temperatura di 40°C. Il campione viene inizialmente pesato (w1) ed essiccato fino a peso costante (w2). Il contenuto di umidità percentuale viene calcolato secondo la seguente espressione:

$$Umidità\ (\%) = \frac{W1 - W2}{W1} x100$$

Peso equivalente: Per determinare il peso equivalente, è stato applicato il metodo descritto da R. M. McCready - in Methods in Food Analyses, Joslyn, 1970 - come segue: Campioni doppi di 0,5 g di pectina sono stati pesati su una bilancia analitica e trasferiti in un becher da 250 ml. I campioni sono stati quindi inumiditi con 5 ml di etanolo e sono stati aggiunti 100 ml di acqua distillata bollita. È stata aggiunta acqua distillata bollita e raffreddata. La pectina è stata sciolta con l'aiuto di un agitatore magnetico e titolata lentamente con idrossido di sodio 0,1N a pH 7,5. Il punto finale è stato mantenuto per 30 secondi. Il punto finale è stato mantenuto per 30 secondi e osservato con l'aiuto di un potenziometro. La soluzione titolata è stata conservata per la determinazione della % di metossile.

$$peso\,equivalente = \frac{peso\ muestra(mg)}{ml.\ de\ NaOH * Normalidad}$$

Test del potenziale di gelificazione: le gelatine sono state preparate con la pectina estratta mescolando acqua e zucchero fino a ottenere 20° Bx. Il pH è stato regolato (2,2, 2,8 e 3,4), che sarà mantenuto costante durante tutto il processo con l'aggiunta di acido citrico, la pectina è stata aggiunta alle concentrazioni di 0,5 e 1,0% (la concentrazione finale della formulazione) e portata a diversi

oBrix (55, 65, 80%) con l'aggiunta di zucchero commerciale (Fiszman S.M., 1984).
È stata effettuata una valutazione sensoriale per valutare la gamma, la consistenza e la struttura come segue:

a. Gamma

Non gelificazione (liquido): il gel rimane liquido o altamente viscoso (L) **Gelificazione buona:** gelificazione buona e consistente (G)
Pre-congelamento: gel parzialmente frantumato, consistenza morbida e viscosa (P)

b. Consistenza: descrive la densità, la consistenza e la viscosità del campione. Si osserva premendo con una bacchetta di vetro. Questa valutazione viene effettuata tenendo conto dei seguenti criteri di valutazione (vedi tabella 11).

Tabella 11. Criteri per la valutazione della consistenza dei gel di pectina

Coerenza				
Liquido o	Molto morbido	Insipido o	Moderatamente duro	Dur o
0	1			

Fonte: Seminario di ricerca sulla pectina

c. Struttura: descrive il legame e l'omogeneità del campione. Si osserva sulla superficie di un gel frantumato.

- Superficie ruvida e fragile: gel non omogeneo.
- Superficie liscia: gel omogeneo.

Grado di gelificazione: unità di peso di zucchero per unità di peso di pectina, a pH 3 e 65% di solidi solubili. Da 0,1 a 1,0 g di pectina sono stati posti in 10 becker, sono stati aggiunti 50 ml di una soluzione di acido citrico a pH 3 e riscaldati fino alla dissoluzione, è stato aggiunto saccarosio in quantità sufficiente a rendere ogni becker al 65% di solidi solubili e il volume è stato portato a 100 mi con la soluzione acida. Lasciare raffreddare per 24 ore per gelificare. Il grado ipotizzato è corretto se, quando i becher vengono capovolti, il loro contenuto si riduce solo del 10% dell'altezza iniziale (Gierselmer K., 1997).
Tempo e velocità di gelificazione: La determinazione del tempo e della velocità di gelificazione sono due parametri che ci permettono di sapere in quali tipi di prodotti può essere utilizzata la pectina ottenuta. Si prepara una gelatina con la pectina estratta mescolando acqua e zucchero fino a ottenere 20° Bx. Si regola il pH a 3,0, che sarà mantenuto costante durante tutto il processo con l'aggiunta di HCl 0,05 N, si aggiunge la pectina (0,5% la concentrazione finale della formulazione) e si porta a 65OBx con l'aggiunta di zucchero. La gelatina preparata viene versata in un becher, posta in un bagno d'acqua a 30°C e temporizzata. Sia il becher che la gelatina possono essere osservati attraverso le pareti di vetro. Il contenuto del becher viene fatto roteare delicatamente a intervalli. All'inizio si vedranno solo le particelle di gelatina ruotare nella direzione in cui è stato mosso il bicchiere. Non appena inizia la cagliatura, si vedranno le particelle sul fondo del bicchiere ruotare prima nella stessa direzione e poi in quella opposta. Il cronometro si ferma quando si vede l'ultima porzione di gelatina in cima al bicchiere muoversi nella direzione opposta a quella in cui è stata impressa sul bicchiere. Il tempo impresso sul cronometro indica la velocità di gelificazione, applicabile sia alla pectina sia alla gelatina (Fiszman, 1984).

Capitolo 6

6. RISULTATI E DISCUSSIONE

6.1. Analisi fisico-chimiche effettuate sull'arancia Valencia.

6.1.1. Determinazione del colore

La materia prima viene classificata in sei stadi di maturazione, secondo la seguente scala cromatica stabilita dalla norma NTC 4086 per le arance Valencia prodotte al di sotto dei 700 m.s.l.m. (immagine 10); l'immagine 11 mostra gli stadi di maturazione riscontrati nei lotti oggetto di studio.

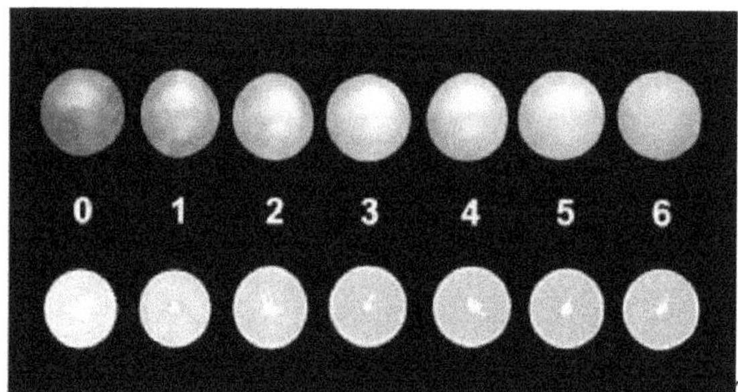

Tabella dei colori arancioni di Valencia secondo lo standard.

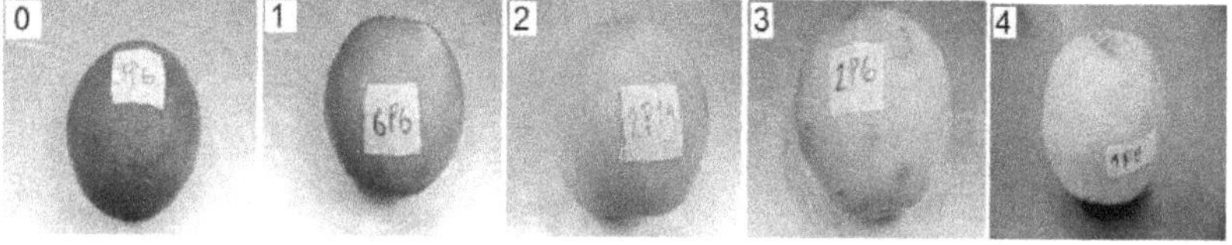

Tabella dei colori dell'arancio di Valencia presente negli appezzamenti oggetto di studio.

Poiché i coltivatori raccolgono le arance al massimo allo stadio di maturazione 2 o 3, è stato difficile trovare frutta allo stadio di maturazione 4 e oltre.

Le arance trovate nei lotti avevano la forma caratteristica dell'arancia Valencia. Avevano un calice, erano sane (prive di attacchi di insetti e/o di malattie che potrebbero degradare la qualità interna del frutto), prive di umidità esterna anomala, prive di odori e/o sapori estranei, avevano un aspetto fresco e sodo.

Le seguenti analisi fisico-chimiche sono state effettuate sulle arance, sia sul frutto intero che sul succo e sulle bucce. I risultati sono presentati prima per l'azienda los deseos e poi per l'azienda nueva esperanza.

6.1.2. Caratterizzazione fisica dei frutti - Azienda agricola Los Deseos

Le analisi fisiche effettuate sulle arance valenciane dell'azienda agricola Los deseos sono riportate di seguito (tabella 12). È stata effettuata una caratterizzazione per stato di maturazione.

Tabella 12. Caratteristiche fisiche delle arance dell'azienda agricola Los Desejos.

^{0}Madure z	Peso (g)	0 (mm)	% Succo	% Conchiglia	% Seme
1	158.9±43. 73b	67.7±6. b	50.9±6. b	46.82± 5.2	2.64±0. 35
	179.0±58. 8^{C}	69.9±8. b	50.4±12 .1^{b}	46.42± 6.3	1.96±0.
	178.0±54. 1bc	69.7±6. b	50.1±12 .7^{b}	42.53± 4.1	2.19±0.
	221,5±52. 1bcd	75.9±7. 0^{b}	48.4±3. 9^{b}	5.3	1.53±0. 25
5	205.7±95. 8^{d}	73.1±12 .1^{b}	50.8±0. b	52.02± 7.6	1.31±0. 56

6.1.3. Caratterizzazione fisico-chimica del succo - Azienda agricola Los Deseos.

Il succo estratto dalle arance è stato sottoposto alle analisi fisico-chimiche stabilite e i risultati sono riportati nella tabella seguente (tabella 13).

Tabella 13. Caratteristiche fisico-chimiche del succo d'arancia dell'azienda agricola Los Deseos.

oMadure z	oBrix	PH	Acidità (%)	oBrix/Acidità Indice di maturità
1	10.4±0. b	3.8±0. 5^{C}	0.73±0.2^{b}	14.28
	10.9±1. C	4.0±0. 5^{Cd}	0.56±0.1^{b}	19.4
	10.7±1. bC	4.0±0. 4Cd	0.56±0.2^{b}	19.12
	12.0±1. 8^{C}	4.0±0. d	0.51±0.0 b	23.52
5	12.5±1. d	4.2±0. e	0.54±0.1^{b}	23.14

Per tutte le variabili analizzate nelle tabelle 12 e 13, l'ANOVA ha mostrato differenze statisticamente significative tra le medie a un livello di confidenza del 95%. Utilizzando il Multiple Range Test, è emerso che le medie sono significativamente diverse tra loro e che gli indici con la stessa lettera non presentano differenze significative.

Per quanto riguarda il diametro, non sono state riscontrate differenze nelle classi di maturazione da 1 a 5. Per quanto riguarda la percentuale di succo, tutti i gradi di maturazione mostrano somiglianze. In^0 Brix c'è somiglianza tra i colori di maturità da 1 a 4, il che indica che il frutto potrebbe essere raccolto dal colore di maturità 1.

La percentuale media di succo è del 49,61% e l'oBrix è di 10,8, molto vicina ai criteri di qualità richiesti dall'industria, rispettivamente del 50% e di 10,5. L'acidità è compresa tra 0,5 e 0,7 in quasi tutti i punti.

Per quanto riguarda il pH, il colore è simile tra 2 e 4 e aumenta con l'aumentare del grado di maturazione. Per quanto riguarda l'acidità, non ci sono differenze significative tra i gradi di maturazione, essa diminuisce con l'aumentare della maturazione del frutto e del pH. Anche l'indice di maturazione aumenta con l'aumentare della maturazione del frutto.
Tuttavia, si osserva che nel colore 1 la % di acidità è nel limite superiore richiesto dall'industria e che sarebbe importante che la raccolta fosse effettuata al massimo nel colore di maturità 2, poiché a partire da questo grado, l'oBrix aumenta sostanzialmente raggiungendo valori prossimi a 12,5 nel colore 5. Ciò è confermato dal controllo dell'indice di maturità, che è superiore a 15 dello stesso grado di maturazione. Questo dato è favorevole in quanto consente di manipolare e trasportare il frutto senza che si deteriori fino alla destinazione finale.

6.1.4. Caratterizzazione fisica dei frutti - Azienda agricola Nueva Esperanza

Le analisi fisiche effettuate sulle arance valenciane dell'azienda Nueva Esperanza sono riportate di seguito (tabella 14). La caratterizzazione è stata effettuata per stadio di maturazione.

Tabella 14. Caratteristiche fisiche dell'arancia dell'azienda agricola Nueva Esperanza

0 Maturità	Peso (g)	0 (mm)	Succo di frutta	% guscio	% di semi
1	210±46. 5	73.6±6. 0	55.2± 5.7	44.43± 5.6	1.52±0. 46
	192.2±4 2.8	72.0±6.	54.3± 5.5	44.75± 4.5	1.94±0.
	173.6±2 2	70.1±4.	55.2± 4.8	42.34± 4.1	2.42±0.
	163.7±6 8.1	71.4±1 4.4	47.7± 6.9	43.13± 5.1	1.34±0. 35
5	215.1±5 7.6	75.3±9. 5	47.8± 2.0	48.07± 7.2	2.16±0.

Caratterizzazione fisico-chimica del succo - Azienda agricola Nueva Esperanza

Il succo estratto dalle arance è stato sottoposto alle analisi fisico-chimiche stabilite e i risultati sono riportati di seguito (tabella 15).

Tabella 15. Caratteristiche fisico-chimiche del succo d'arancia dell'azienda agricola Nuova speranza.

0M d	oBrix	pH	Acidità (%)	indice di maturità indice di oBriXAcidità
1	10±0. 7	4.1± 0.4	0.58±0.3	19.5±8.6
	10.1± 0.8	4.0± 0.2	0.55±0.1	19.1±5.9
	10,7± 0.6	4.0± 0.1	0.51±0.1	20.6±3.5
	9.2±0.	3.7± 0.3	0.5±0.2	22,0±2,1
5	11.5± 0.4	3.7± 0.1	0.49±0.0	22,4±3,0

Il contenuto di succo in tutti gli stadi di maturazione supera il 40%, i solidi solubili variano tra 9,2 e 11,5, l'acidità è inferiore a 0,58 e l'indice di maturazione è superiore a 19,1, superando tutti i valori stabiliti dalla norma 4086.1, superando tutti i valori stabiliti dalla norma 4086, il che permette di concludere che dal colore 1 in poi tutte le arance soddisfano i requisiti specifici richiesti dalla norma e possono essere consumate fresche, contrariamente a quanto stabilito dalla norma NTC4086 che suggerisce che le migliori caratteristiche organolettiche per il mercato fresco e trasformato sono dal colore 3 in poi.

Si osserva inoltre che dal colore due, questa arancia soddisfa i requisiti per essere utilizzata nell'industria, come una % di succo superiore al 50%,^{0} Brix superiore a 10,5, acidità tra 0,5 e 0,7 e un indice di maturazione superiore al 15%. Il 10% dei campioni analizzati ha una percentuale di succo inferiore al 40%, pur avendo una dimensione C e un diametro superiori a 63 mm.

Dopo le analisi relative ai frutti interi delle due aziende e al succo estratto, sono state effettuate analisi fisico-chimiche sulle bucce, da cui sono stati estratti gli oli essenziali e le pectine.

6.1.5. Caratterizzazione fisico-chimica dei gusci.

Le conchiglie, oggetto di studio di questo progetto, hanno dato i seguenti risultati (vedi tabella 16) dalle analisi fisico-chimiche stabilite nella metodologia.
I risultati dell'analisi fisico-chimica delle bucce d'arancia provenienti dalle due aziende sono riportati di seguito.

Tabella 16. Percentuale di umidità, ceneri, fibre ed estratto etereo delle bucce d'arancia dei due lotti.

Lotto	% Umidità	% Ceneri	% Fibra grezza	% estratto etereo
Desideri(L1)	70.40±1.170	1.183±0.270	10.12±0.62	0.27 ± 0.026
Nuova speranza(L2)	72.00±1.170	1.528±0.674	9.82 ± 0.54	0.26 ± 0.046

Abbiamo osservato che sia la percentuale di umidità che la percentuale di ceneri nelle bucce dell'arancia Valencia sono più basse nell'azienda Los Deseos, forse a causa delle condizioni di gestione della coltura, dato che nell'azienda Los Deseos non esiste un sistema di irrigazione né un'adeguata fertilizzazione del suolo, mentre nell'azienda Nueva Esperanza la coltura è più tecnologizzata, con un adeguato controllo dell'irrigazione e della fertilità del suolo.

La percentuale di fibra è stata del 10,12% con una deviazione standard di 0,62 nell'azienda Los Deseos e del 9,82% con una deviazione standard di 0,54 nell'azienda Nueva Esperanza; questi valori sono inferiori al valore del 13% riportato da Demain e Solomon, ma comunque molto vicini. Per quanto riguarda il contenuto di grassi o di estratto etereo, le percentuali ottenute: 0,26 e 0,27%, erano ben al di sotto del valore riportato dagli stessi autori, che era del 3,4%.

Le analisi fisico-chimiche effettuate sulle arance di Valencia nei loro diversi gradi di maturazione ci portano a concludere che lo stadio migliore per la raccolta è il grado di maturazione 2, perché a questo punto l'arancia possiede tutte le caratteristiche qualitative che la normativa specifica richiede per la sua industrializzazione; è quindi necessario effettuare test per estrarre pectina e oli essenziali dalle bucce delle arance a questo stadio di maturazione.

6.2. ESTRAZIONE DELLA PECTINA

6.2.1. PECTINA

6.2.1.1. DESIDERI DEI FINCALI (L1)

Le rese ottenute dalle bucce fresche di arance valenciane provenienti dall'azienda agricola Los Deseos sono riportate di seguito (tabella 17); una colonna mostra le rese con HCl e l'altra con HNO_3.

Tabella 17. Resa di pectina di arance dell'azienda agricola Los Deseos

pH	tempo	T	Resa (%) HCl	T	Resa (%) HNO3
2.0	50 MIN	T5	9,620 ± 0,764 a	T7	7,780 ±0,904 a
	30 MIN	T1	8,968 ± 1,409 a	T3	7,079 ±1,276 a b
3.0	50 MIN	T2	5,652 ± 0,735 b	T4	5,705 ±0,648 b c
	30MIN	T6	4,183± 0,497 b	T8	4,823 ±0,372 c

I migliori trattamenti ottenuti con l'impiego dell'HCl come agente idrolizzante sono stati: il T5 con una resa del 9,620% con una deviazione standard dello 0,764 e il T1 con una resa dell'8,968% con una deviazione standard dell'1,409, che non hanno presentato differenze statisticamente significative con un livello di confidenza del 95,0%; con ciò possiamo concludere che, sebbene il trattamento 5 presenti una resa maggiore rispetto al T1, questa differenza non è statisticamente significativa.

I rendimenti più bassi sono stati ottenuti a pH 3, quindi vediamo che il trattamento 6 (T6) ha avuto un rendimento del 4,183% con deviazione standard di 0,497. Le rese più basse sono state ottenute a pH 3, quindi vediamo che il trattamento 6 (T6) ha avuto una resa del 4,183% con deviazione standard di 0,497. Osserviamo quindi che le rese sono aumentate con l'aumentare del tempo di idrolisi e sono diminuite con l'aumentare del pH.
Per quanto riguarda le rese ottenute con l'acido nitrico, i trattamenti migliori sono stati il T7 (pH2 e 50 minuti di idrolisi) con una resa del 7,78033% con una deviazione standard di 0,904 e il T3 (pH2 e 30 minuti di idrolisi) con una resa del 7,079% con una deviazione standard di 1,276, che ha presentato una leggera differenza statisticamente significativa con un livello di confidenza del 95%; con ciò si conclude che il trattamento migliore è stato il T7. Le rese più basse con HNO3 sono state ottenute con valori di pH elevati e tempi di idrolisi brevi, come dimostrato dal trattamento 8 (T8) con una resa del 4,823% e una deviazione standard di 0,372.
Confrontando il miglior trattamento con HCl (T1) e HNO3 (T7) si conclude che il miglior trattamento è stato il T1, poiché ha presentato una resa maggiore, tuttavia le rese di questi due trattamenti non hanno mostrato differenze statisticamente significative a un livello di confidenza del 95%, come mostrato nella tabella 18; dove sono stati identificati 5 gruppi omogenei in base all'allineamento delle X nelle colonne. Non ci sono differenze statisticamente significative tra i livelli che condividono la stessa colonna di X.

Tabella 18. Test multipli dell'intervallo T1-T7 (Metodo: 95,0 percentile LSD)

Casos	*Ho misurato*	*Gruppi Omogeneo*
T6	4,18267	X
T8	4,823	X
T2	5,652	XX
T4	5,705	XX
T3	7,079	XX
T7	**7,78033**	**XX**
T1	**8,96767**	**XX**
T5	9,62	X

Il miglior trattamento effettuato sulla pectina dell'azienda agricola Los deseos è stato il T1 perché rispetto all'altro miglior trattamento T7 con HNO3 (pH 2,0 e 50 min.), il T1 richiede un tempo di idrolisi più breve (30 min.); inoltre, un tempo prolungato ha un impatto sulla qualità della pectina, soprattutto sul grado di esterificazione.

6.1.5.1. FINCA NUEVA ESPERANZA (L2)

Le rese ottenute dalle bucce fresche di arance valenciane provenienti dall'azienda agricola Nueva Esperanza sono riportate di seguito (tabella 19); una colonna mostra le rese con HCl e l'altra con HNO_3.

Tabella 19. Resa in pectina di arance dell'azienda agricola Nueva Esperanza

pH	tempo	T	Resa (%) HCI	T	Resa (%) HNO3
2.0	50 MIN	T5	$6{,}001 \pm 0{,}295^a$	T7	$9{,}614 \pm 1{,}064^a$

	30 MIN	T1	7,385± 0,112[b]	T3	9,968 ± 1,114[a]
3.0	50 MIN	T2	2,909± 0,163[c]	T4	3,926 ± 0,199[b]
	30 MIN	T6	1,907± 0,451[d]	T8	3,109 ± 0,592[b]

Analizzando questi risultati, possiamo dire che i trattamenti migliori sono stati quelli che hanno utilizzato l'HNO3 come agente idrolizzante, ovvero: T3 con una resa del 9,968% con una deviazione standard di 1,114 e T7 con una resa del 9,614% con una deviazione standard di 1,064; che non hanno presentato differenze statisticamente significative con un livello di confidenza del 95,0%; con ciò concludiamo che il miglior trattamento con HNO3 è stato T3, grazie al tempo di idrolisi più breve e alla resa più alta. Per quanto riguarda le rese più basse, osserviamo che l'alto pH e i brevi tempi di estrazione hanno un impatto su una bassa resa di pectina. Così, nel trattamento 8 (T8: HNO3, pH 3,0 e 30 minuti) è stata ottenuta una resa del 3,109% con una deviazione standard di 0,592 e quando il tempo è stato aumentato a 50 minuti, il risultato è stato del 3,926% con una deviazione standard di 0,199.
Per quanto riguarda le rese ottenute con HCl, i trattamenti migliori sono stati T1 (pH 2 e 30 minuti di idrolisi) con una resa del 7,385% con una deviazione standard di 0,112 e T5 (pH 2 e 50 minuti di idrolisi) con una resa del 6,001% con una deviazione standard di 0,295, che hanno presentato differenze statisticamente significative con un livello di confidenza del 95%; con ciò si conclude che il trattamento 1 è il migliore grazie alla resa maggiore e al tempo di idrolisi più breve. Per quanto riguarda i rendimenti con HCl a pH 3,0, si osserva lo stesso comportamento di quelli con HNO3, ovvero, all'aumentare del pH e al diminuire del tempo di estrazione, i rendimenti diminuiscono; così, con un tempo di 30 minuti (T6) si è ottenuto un rendimento dell'1,907% con una deviazione standard di 0,451 e con 50 minuti si è ottenuto un rendimento del 2,909% con una deviazione standard di 0,163.

Confrontando il miglior trattamento con HCl (T1) e HNO3 (T3), si conclude che il miglior trattamento è stato il T3, poiché ha presentato una resa maggiore, inoltre le rese di questi due trattamenti hanno mostrato differenze statisticamente significative a un livello di confidenza del 95%, come mostrato nella tabella 20; dove sono stati identificati 5 gruppi omogenei in base all'allineamento delle X nelle colonne. Esistono differenze statisticamente significative tra i livelli che non condividono la stessa colonna con le X.

Tabella 20. Test di intervallo multiplo T1-T3 (Metodo: 95,0 percentile LSD)

Caso s	*Ho misurato*	*Gruppi omogenei*
T6	1,907	X
T2	2,9085	XX
T8	3,109	XX
T4	3,9255	X
T5	6,001	X
T1	**7,385**	**X**
T7	9,61367	X
T3	**9,96767**	**X**

Si può concludere che le percentuali di resa più alte sono state ottenute a Nueva Esperanza (L2), T3 = 9,968 ± 1,114 % con l'acido nitrico come agente di estrazione e con l'acido cloridrico la resa più alta è stata T1 = 7,385 ± 0,112%; rispetto a Los Deseos (L1), dove la resa più alta è stata T5 = 9,620 ± 0,764% con acido cloridrico come agente di estrazione e con acido nitrico la resa più alta è stata T7 = 7,780 ± 0,904%. Vediamo quindi come l'azione degli agenti estrattivi sulle due aziende sia stata diversa e opposta.
Confrontando il miglior trattamento di ciascuna azienda (T3L2 e T5L1) si osserva che non ci sono differenze statisticamente significative a un livello di confidenza del 95%, come si può vedere nella tabella 21.

Tabella 21. Test di portata multipla T3L2 e T5L1

Caso s	*Ho misurato*	*Gruppi omogenei*
T5L2	6,001	X
T3L1	7,079	XX
T1L2	7,385	XXX
T7L1	7,78033	XX
T1L1	8,96767	XX
T7L2	9,61367	X
T5L1	**9,62**	**X**
T3L2	**9,96767**	**X**

Concludiamo quindi che il trattamento migliore tra le due aziende è stato il T5 (HCl, pH 2,0 e 30 MIN.) dell'azienda Los deseos, poiché l'idrolisi è stata effettuata con HCl, un agente estrattivo più indicato dell'HNO3, dato che la pectina sarà utilizzata nell'industria alimentare e per il consumo umano; inoltre, non è stata riscontrata alcuna differenza significativa tra questi due trattamenti.

6.2.2. CARATTERISTICHE CHIMICO-FISICHE DELLA PECTINA OTTENUTA

6.2.3. DETERMINAZIONE DEL GRADO DI ESTERIFICAZIONE E METOSSILAZIONE.

Grado di esterificazione e metossilazione della pectina delle bucce d'arancia della fattoria Nueva Esperanza.

Le tabelle 22 e 23 mostrano i risultati ottenuti per il grado di esterificazione e metossilazione, rispettivamente, della pectina estratta dalla fattoria Nueva Esperanza.

Tabella 22. Grado di esterificazione della pectina dell'azienda agricola Nueva Esperanza.

Trattamento	**Valore A***	**Valore B***	**Grado di esterificazione (%ED)**			**Media %ED**
			Test 1	**Saggio 2**	**Saggio 3**	
	1,30	4,50	68.586			
T1	1,20	4,40		69.571		69.479 ± 0.85^{bc}

	1,15	4,40			70.279	
	1,30	4,60	68.966			
T2	1,20	4,40		69.571		69.370 ± 0.35^{bc}
	1,20	4,40			69.571	
	1,15	4,50	70.646			
T3	1,15	4,60		71.000		71.227 ± 0.72^{a}
	1,10	4,70			72.034	
	1,25	5,20	71.620			
T4	1,20	4,90		71.328		71.212 ± 0.48^{a}
	1,30	5,10			70.688	
T5	1,40	4,40	66.862			67.657 ±0.87 ^{d}
	1,30	4,50		68.586		
	1,35	4,40			67.522	
	1,30	4,40	68.193			
T6	1,20	5,20		72.250		70.481 ± 2.08^{ab}
	1,20	4,80			71.000	
	1,30	4,50	68.586			
T7	1,35	4,60		68.311		68.494 ±0.16 ^{cd}
	1,30	4,50			68.586	
	1,20	4,30	69.182			
T8	1,20	4,50		69.947		69.567 ±0.38 ^{bc}
	1,20	4,40			69.571	

*Il valore I e il valore B indicano i volumi di idrossido di sodio spesi per la prima e la seconda titolazione.

Possiamo osservare che la pectina estratta dall'azienda Nueva Esperanza ha un grado di esterificazione che va dal 67,657% al 71,227%, definito come pectina medio-rapida. Solo i valori ottenuti nei trattamenti T3 e T4 mostrano una leggera tendenza a essere pectine a gelificazione rapida, rimanendo nel limite inferiore dell'intervallo da caratterizzare come fast gelling; mentre il trattamento T5 si colloca nel limite superiore da considerare come pectine a gelificazione lenta, con una leggera tendenza a essere pectine a gelificazione media.

Tabella 23. Grado di metossilazione della pectina dell'azienda agricola Nueva Esperanza.

Trattamento	**Valore A**	**Valore B**	**Grado di metossilazione (%DM)**			**Media %DM**
			Test 1	**Saggio 2**	**Saggio 3**	
	1,30	4,50	12.871			
T1	1,20	4,40		13.025		13.011 ± 0.13 ^{bc}
	1,15	4,40			13.136	
	1,30	4,60	12.931			
T2	1,20	4,40		13.025		12.994 ±0.05^{bc}
	1,20	4,40			13.025	
	1,15	4,50	13.193			
T3	1,15	4,60		13.248		13.283 ±0.11^{a}
	1,10	4,70			13.409	
	1,25	5,20	13.344			
T4	1,20	4,90		13.299		13.281 ±0.07 a
	1,30	5,10			13.199	
	1,40	4,40	12.602			
T5	1,30	4,50		12.871		12.726 ±0.14 d
	1,35	4,40			12.705	
	1,30	4,40	12.810			
T6	1,20	5,20		13.442		13,167 ±0,32 ab

	1,20	4,80			13.248	
	1,30	4,50	12.871			
T7	1,35	4,60		12.828		12,857± 0,02 cd
	1,30	4,50			12.871	
	1,20	4,30	12.964			
T8	1,20	4,50		13.084		13,024±0,06 bc
	1,20	4,40			13.025	

I valori di metossilazione ottenuti per la pectina della fattoria Nueva Esperanza variano dal 12,726% al 13,283%. Abbiamo osservato una variazione minima nel contenuto di metossile.

Grado di esterificazione e metossilazione della pectina delle bucce d'arancia dell'azienda agricola Los Deseos.

Le tabelle 24 e 25 mostrano i risultati del grado di esterificazione e metossilazione dell'azienda agricola desiderata.

Tabella 24. Grado di esterificazione della pectina dell'azienda agricola Los Deseos.

Trattamento	Valore A	Valore B	Grado di esterificazione (%ED)			
			Test 1	Saggio 2	Saggio 3	Media %ED
	1,1	3,1	64.810			
T1	0,8	3,1		70.487		69.231 ±3.94 b
	0,8	3,5			72.395	
	1,2	3,0	62.429			
T2	1,0	2,8		64.684		64,371 ±1,81 bc
	1,0	3,0			66.000	
	0,7	4,5	77.538			
T3	0,6	4,1		78.234		77.910 ±0.35 a
	0,6	4,0			77.957	
	1,0	3,9	70.592			
T4	0,9	3,8		71.851		68,290 ±5,11 bc
	1,2	3,0			62.429	
	1,2	2,9	61.732			
T5	1,1	3,0		64.171		62.867 ±1.23 c
	1,5	3,8			62.698	
	1,1	3,0	64.171			
T6	0,7	2,9		71.556		67,863 ± 5,22 bc
	1,2	0,8				
	1,5	3,5	61.000			
T7	1,2	3,7		66.510		64,837 ± 3,33 bc
	1,2	3,8			67.000	
	1,2	3,0	62.429			
T8	1,0	3,0		66.000		65,206 ± 2,48 bc
	1,0	3,2			67.190	

Le percentuali del grado di esterificazione della pectina dell'azienda Los deseos vanno da un valore minimo di 62,867% a un valore massimo di 77,910%. Questa variazione, a differenza dei risultati ottenuti dall'azienda Nueva Esperanza, è piuttosto ampia e mostra ancora una volta l'incidenza della gestione colturale (uso di irrigazione e fertilizzanti) sui risultati ottenuti per la composizione chimica della pectina. Nei trattamenti T2, T5, T7 e T8, i gradi di esterificazione ottenuti sono inferiori al 67%, definendo questa pectina come a lenta gelificazione; i trattamenti T1, T4 e T6 sono considerati pectine a media gelificazione; il trattamento T3 rientra nell'intervallo da considerare come pectina a rapida gelificazione.

Non possiamo assegnare un intervallo specifico alla pectina della fattoria Los deseos, poiché metà dei trattamenti ha dato risultati che indicano una gelificazione lenta, tre trattamenti indicano una gelificazione medio-rapida e solo un trattamento indica una pectina a gelificazione rapida. Forse le condizioni anomale del terreno da cui sono state estratte le arance (alberi situati in cima a un pendio e altri in basso) e il mancato utilizzo di sistemi di irrigazione (il terreno diventa più umido nelle parti basse delle colline durante le piogge sporadiche) sono la causa di questa ampia variazione.

Tabella 25. Grado di metossilazione della pectina dell'azienda agricola Los Deseos.

Trattamento	Valore A	Valore B	Grado di metossilazione (%DM)			-%DM Media
			Test 1	Saggio 2	Saggio 3	
	1,30	4,50	12.280			
T1	1,20	4,40		13.168		12.971 ± 0.62^{b}
	1,15	4,40			13.465	
	1,30	4,60	11.905			
T2	1,20	4,40		12.260		12.210 ± 0.28^{bc}
	1,20	4,40			12.466	
	1,15	4,50	14.261			
T3	1,15	4,60		14.368		14.318 ± 0.05^{a}
	1,10	4,70			14.325	
	1,25	5,20	13.184			
T4	1,20	4,90		13.380		12.823 ± 0.80^{bc}
	1,30	5,10			11.905	
	1,30	4,50	11.795			
T5	1,35	4,60		12.179		11.974 ± 0.19^{c}
	1,30	4,50			11.947	
	1,30	4,40	12.179			
T6	1,20	5,20		13.334		12.757 ± 0.82^{bc}
	1,20	4,80				
	1,20	4,30	11.679			
T7	1,20	4,50		12.546		12.283 ± 0.52^{bc}
	1,20	4,40			12.623	
	1,40	4,40	11.905			
T8	1,30	4,50		12.466		12.341 ± 0.39^{bc}
	1,35	4,40			12.653	

I valori del grado di metossilazione ottenuti per la pectina dell'azienda Los Deseos variano dall'11,974% al 14,318%. Abbiamo osservato una variazione leggermente più ampia nel contenuto di metossile rispetto ai risultati ottenuti dall'azienda Nueva Esperanza.

Di seguito si riporta una sintesi delle precedenti tabelle dei risultati del grado di esterificazione e metossilazione delle due aziende, ordinati in base ai trattamenti migliori e per raggruppamento di valori simili o senza differenze significative (vedi tabelle 26 e 27).

Tabella 26. Tassi di esterificazione e metossilazione dell'azienda nueva esperanza.

TRATTAMENTO	GRUPPI METOSSICI(DM)	GRADO ESTERIFICAZIONE (ED)
T3	13.283±0.112[a]	71.227±0.721[a]
T4	13.281 ±0.074[a]	71.212±0.477[a]
T6	13.167±0.324[ab]	70.481 ± 2.078[ab]
T8	13.024±0.060[bc]	69.567 ± 0.383[bc]
T1	13.011 ±0.133[bc]	69.479 ± 0.850[bc]
T2	12.994±0.055[bc]	69.370 ± 0.349[bc]
T7	12.857±0.025[cd]	68.494±0.159[cd]
T5	12.726±0.136[d]	67.657 ± 0.870[d]

Tabella 27. Grado di esterificazione e metossilazione dell'azienda agricola Los Deseos

TRATTAMENTO	GRUPPI METOSSICI(DM)		GRADO ESTERIFICAZIONE (ED)	
T3	14.318t0.054 a		77,910t0,350a	
Tl	12.971 ±0.617	b	69.231 t 3.946	b
T4	12.823 ±0.801	essere	68.290t5.115	essere
T6	12.757t0.817	essere	67.863 t 5.222	essere
T8	12,341 t0.390	essere	65.206 t 2.478	essere
T7	12.283t0.524	essere	64.837 t 3.332	essere
T2	12.210t0.284	essere	64.371 t1.806	essere
T5	11.974 ±0.194	e	62.867 t1.228	e

I risultati ottenuti permettono di concludere che tutte hanno più del 7% di metossile e di conseguenza possono essere considerate pectine ad alto contenuto di metossile (Guzman, *et al.*, 1977), si osserva una chiara relazione tra le condizioni di estrazione e il contenuto di metossile e che per ogni pH di estrazione esiste un tempo ottimale in cui si ottiene la pectina con il più alto contenuto di metossile e che esiste un pH ottimale perché la pectina presenti il più alto contenuto di metossile.

Confrontando l'alto grado di esterificazione con il contenuto di metossile, si può concludere che ci sono altri gruppi chimici coinvolti nell'esterificazione con i gruppi carbossilici dell'acido poligalatturonico, come gruppi amidici o zuccheri neutri (arabinosio, ramnosio, galattosio).

Si può anche concludere che esiste un tempo "ottimale" entro il quale si ottiene la pectina con il massimo grado di esterificazione a un determinato pH e che esiste anche un pH "ottimale" per l'estrazione della pectina con il massimo grado di esterificazione.

I gradi di esterificazione ottenuti ci portano a concludere che all'aumentare del tempo di estrazione della pectina, questa tende a denaturarsi, per cui si osserva che più lungo è il tempo di idrolisi, minore è il grado di esterificazione e viceversa.

Le tabelle 28 e 29 mostrano l'influenza del pH e del tempo di idrolisi sul grado di esterificazione delle pectine estratte.

Tabella 28. Influenza del tempo di idrolisi con HCl sul grado di esterificazione della pectina ottenuta dall'azienda agricola Los Deseos.

pH	tempo	T	Resa (%) HCI	Grado di esterificazione
2.0	50 MIN	T5	9,620 ± 0,764	65,206 ± 2.478
	30 MIN	T1	8,968 ± 1,409	69,231 ± 3.946
3.0	50 MIN	T2	5,652 ± 0,735	64,371 ± 1.806
	30 MIN	T6	4,183± 0,497	67,863 ± 5.222

Tabella 29. Influenza del tempo di idrolisi con HCl sul grado di esterificazione della pectina ottenuta dalla fattoria Nueva Esperanza.

pH	tempo	T	Resa (%) HCI	Grado di esterificazione
2.0	50 MIN	T5	6,001 ± 0,295	67.657 ± 0.870
	30 MIN	T1	7,385± 0,112	69.479 ± 0.850
3.0	50 MIN	T2	2,909± 0,163	69.370 ± 0.349
	30 MIN	T6	1,907 ± 0,451	70.481 ± 2.078

Le tabelle 28 e 29 mostrano che più basso è il pH e più lungo il tempo di idrolisi, più basso è il grado di esterificazione, mentre più alto è il pH e più breve il tempo di idrolisi, più alto è il grado di esterificazione.

Da quanto detto si può concludere che, sebbene si ottenga una maggiore resa di pectina in condizioni di estrazione più drastiche (bassi pH e tempi prolungati), ciò influisce direttamente sulla qualità della pectina, come evidenziato da un minor grado di esterificazione.

6.2.4. DETERMINAZIONE DEL CONTENUTO DI ACIDO GALATTURONICO (AGA)

La curva di calibrazione dell'acido galatturonico presa come riferimento è presentata di seguito (vedi tabella 30).

Tabella 30. Curva di calibrazione per l'acido galatturonico.

Concentrazione (pg /mi)	**Assorbanza** (520 nm)
0	0
5	0,029
10	0,089
	0,168
	0,054
40	0,491
80	0,662
100	1,093

Fonte: Gruppo di ricerca sulle pectine e i polisaccaridi.

La Figura 11 presenta la curva di calibrazione per la determinazione del contenuto di AGA; il valore di concentrazione di 20 pg /ml con un'assorbanza di 0,054 nm è stato omesso, perché il valore di concentrazione di 20 pg /ml con un'assorbanza di 0,054 nm è stato omesso. era un valore anomalo.

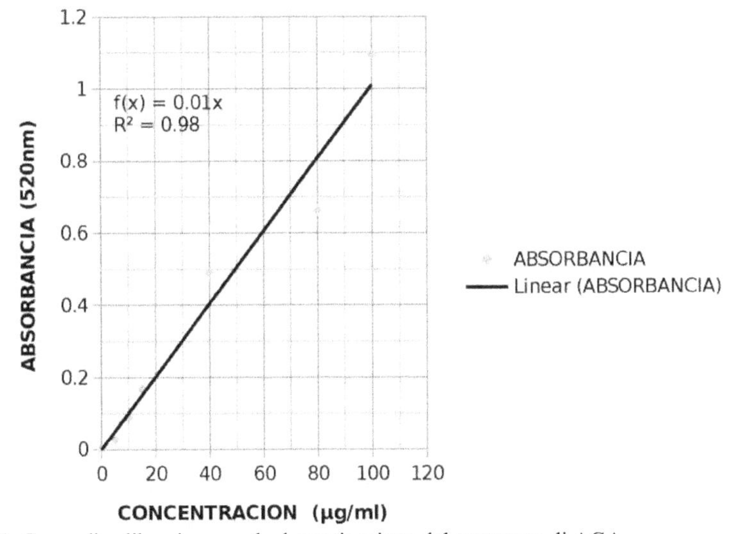

Figura 11. Curva di calibrazione per la determinazione del contenuto di AGA.

Si presenta una linearità che obbedisce alla legge di Beer-Lambert (Van Arendonk 1981), con un R^2 di circa 0,963. e che l'equazione che governa il comportamento è: y − 0,0101x

Le tabelle seguenti (tabella 31 e tabella 32) mostrano il contenuto di acido galatturonico (GA) dei trattamenti con la maggiore resa in pectina in ciascuna azienda.

Tabella 31. Contenuto di AGA nella pectina dell'azienda agricola Nueva Esperanza.

TRATTAMENTO	W Pectina (mg)	ABS (520 nm)	Curva AGA	%AGA	Media AGA
T3R1	10,4000	0,575	56,931	27,371	
T3R2	10,3000	0,81	80,198	38,931	35,821
T3R3	10,5000	0,873	86,436	41,160	
T1R1	10,1000	0,517	51,188	25,341	
T1R2	10,4000	0,844	83,564	40,175	29,112
T1R3	10,3000	0,454	44,950	21,821	

Tabella 32. Contenuto di AGA nella pectina dell'azienda agricola Los Deseos.

TRATTAMENTO	W Pectina (mg)	ABS (520 nm)	AGA Curva	%AGA	Media %AGA
T1R1	10,2000	0,667	66,040	32,372	
T1R2	10,4000	0,931	92,178	44,316	39,613
T1R3	10,3000	0,877	86,832	42,151	
T7R1	10,1000	0,898	88,911	44,015	
T7R2	10,4000	0,461	45,644	21,944	28,015
T7R3	10,1000	0,369	36,535	18,086	

La tabella 31 mostra che i due trattamenti hanno quasi le stesse condizioni di estrazione (pH 2 e tempo di idrolisi 30 minuti), la differenza è che il trattamento 1 è con HCl e il trattamento 2 con HNO3; si può notare quindi come una percentuale maggiore di acido galatturonico sia stata ottenuta con il trattamento 3 utilizzando HNO3 con una percentuale di 35,821, rispetto al trattamento 1 con una percentuale di 29,112.

Nella tabella 32, è stata osservata una percentuale maggiore di AGA con il trattamento 1 (pH 2. Tempo di idrolisi di 30 minuti e HCl) con una percentuale di 39,613 rispetto al trattamento 7 con una percentuale di 28,015.

La purezza era inferiore a quella determinata per le pectine provenienti da alcune fonti non convenzionali: 66,0 g/100g nella polpa di barbabietola da zucchero (Adomako D, 1974), da 71,4 a 98,0 g/100g nelle teste di girasole (Michel F, 1985), da 63,07 a 67,13 g/100g nel mallo di soia (Miyamoto A, Chang KC, 1992) e da 60,66 a 71,65 g/100g nel mallo di parchita (Monsoor MA, Proctor A, 2001).

Le basse percentuali di acido galatturonico nella presente indagine potrebbero essere dovute all'interferenza di impurità quali zuccheri neutri associati, lattice, gomme e altri composti presenti nella struttura della buccia di arancia valenciana che potrebbero essere idrolizzati insieme alla pectina estratta (Jittra *etal.*, 2005).

11.2.2.3. UMIDITÀ E CENERE

I dati relativi all'umidità e alle ceneri della pectina estratta dalle due aziende sono riportati di seguito (vedi tabella 33).

Tabella 33. Umidità e ceneri pectiniche delle aziende agricole Nueva Esperanza e Los Deseos.

TRATTAMENTO	**Fattoria Nueva Esperanza**		**Tenuta Los Deseos**	
	UMIDITÀ, %	CENERE, %	UMIDITÀ, %	CENERE,%
T1	4,961	3,752	4,526	3,670
T2	6,090	3,891	4,796	3,545
T3	6,085	2,958	4,749	2,786
T4	5,686	3,950	4,553	3,748
T5	5,404	3,746	4,992	3,678
T6	6,329	4,223	5,222	3.506
T7	6,179	4,159	5,238	3,470
T8	5,994	3,947	4,615	3,846

Da questi valori si può concludere che l'umidità oscillava tra il 4,961 e il 6,329% nell'azienda Nueva Esperanza e tra il 4,526 e il 5,238% nell'azienda Los Deseos, con una tendenza a diminuire nei primi trattamenti, il che sembra indicare che la pectina può essere ottenuta con un'umidità intorno al 4,5% e che, a causa delle condizioni di frantumazione e delle dimensioni delle particelle, la pectina può guadagnare umidità fino a un certo livello; La percentuale di umidità è ben al di sotto dei valori riportati per la pectina commerciale e di altri analizzati in precedenti ricerche (Giraldo, 1991), dove sono state riscontrate percentuali di umidità del 10,81% per la pectina commerciale, dell'11,09% per la pectina di mango, del 12,39% per la pectina di guava, dell'11,73% per la pectina di pomodoro e dell'8,69% per la pectina di mela.

Le ceneri oscillavano tra il 2,958 e il 4,223% nell'azienda Nueva Esperanza e tra il 2,786 e il 3,846% nell'azienda Los Deseos; questi valori sono superiori a quelli riportati da Giraldo (Giraldo, 1991) per la pectina commerciale, con un valore di 1,34%, e a quelli riportati da Rouse (Rouse, 1964) per le varietà Valencia e Pineaple, rispettivamente 1,80 e 1,72%. Il contenuto di ceneri nella pectina indica la quantità di impurità inorganiche combinate o occluse nel precipitato (Rouse e Knoor, 1970).

11.2.2.4. PESO EQUIVALENTE

I pesi equivalenti per trattamento della pectina estratta dalle due aziende sono presentati di seguito (vedi tabella 34).

TRATTAMENTO	Peso equivalente (mg/meq) Azienda agricola Nueva Esperanza	Peso equivalente (mg/meq) Finca Los Deseos
T1 (HCl, pH 2,0, 30')	1705,772	2603,661
T2 (HCl, pH 3,0, 50')	1696,446	2179,598
T3 (HNO3, pH 2,0, 30')	1828,209	3715,064
T4 (HNO3, pH 3,0, 50')	1676,536	2271,042
T5 (HCl, pH 2,0, 50')	1539,809	2207,615
T6 (HCl, pH 3,0, 30')	1682,721	2362,452
T7 (HNO3, pH 2,0, 50')	1576,220	1840,290
T8 (HNO3, pH 3,0, 30')	1729,463	1812,261

Tabella 34. Peso equivalente per trattamento per i due allevamenti

Il valore del peso equivalente per l'azienda nueva esperanza è compreso tra 1539,809 e 1828,209 mg/meq e per l'azienda los deseos è compreso tra 1812,261 e 3715,064 mg/meq; I pesi equivalenti sono relativamente alti se confrontati con i valori di 805 per la pectina di lime (Shrivas, 1963), 800-1000 per la pectina di limone (Chaliha, 1963), 700-900 per la pectina di guava (Pruthi, 1960) e 600-900 per la pectina di papaya verde (Bhatia, 1960).

6.2.2.5.

6.2.2.6. ACIDITÀ LIBERA

I risultati dell'acidità libera della pectina estratta dalle due aziende sono riportati di seguito (tabelle 35 e 36); l'acidità libera è espressa in milli-equivalenti di carbossili liberi su grammi di pectina analizzata.

Tabella 35. Determinazione dell'acidità libera della pectina di Los Deseos.

TRATTAMENTO	Normalità NaOH	Volume di NaOH speso (ml)	peso del campione (g)	ACIDITÀ LIBERA (meq di carbossili liberi/g)
T1 (HCl, pH 2,0, 30')	0,087	0,9000	0,2039	0,3841
T2 (HCl, pH 3.0, 50')	0,087	1,0667	0,2023	0,4588
T3 (HNO3, pH 2,0, 30')	0,087	0,6333	0,2047	0,2692
T4 (HNO3, pH 3,0, 50')	0,087	1,0333	0,2042	0,4403
T5 (HCl, pH 2,0, 50')	0,087	1,2667	0,2028	0,5434
T6 (HCl, pH 3,0, 30')	0,087	1,0000	0,2055	0,4233
T7 (HNO3, pH 2,0, 50')	0,087	1,3000	0,2050	0,5518
T8 (HNO3, pH 3,0, 30')	0,087	1,0667	0,2049	0,4530

Tabella 36. Determinazione dell'acidità libera della pectina di Nueva Esperanza

TRATTAMENTO	Normalità NaOH	Volume di NaOH speso (ml)	peso del campione (g)	Acidità libera (meq Carbossile libero/g)
T1 (HCl, pH 2,0, 30')	0,0985	1,2167	0,2043	0,5862
T2 (HCl, pH 3.0, 50')	0,0985	1,2333	0,2060	0,5895
T3 (HNO3, pH 2,0, 30')	0,0985	1,1333	0,2040	0,5470
T4 (HNO3, pH 3,0, 50')	0,0985	1,2500	0,2063	0,5965
T5 (HCl, pH 2,0, 50')	0,0985	1,3500	0,2047	0,6494
T6 (HCl, pH 3,0, 30')	0,0985	1,2333	0,2043	0,5943
T7 (HNO3, pH 2,0, 50')	0,0985	1,3167	0,2043	0,6344
T8 (HNO3, pH 3,0, 30')	0,0985	1,2000	0,2043	0,5782

L'acidità libera dell'azienda Los Deseos varia da 0,2692 a 0,5518 meq di carbossile libero/g. e nell'azienda Nueva Esperanza i valori variano da 0,5470 a 0,6494 meq di carbossile libero/g. Questi risultati sono inferiori ai valori riportati da Giraldo (Giraldo, 1991): 1,32 meq. per la pectina commerciale, indicando la residualità nulla degli acidi utilizzati (cosa che si è verificata con i dati delle pectine da noi utilizzate, quelle commerciali) e molto simili ai valori riportati per altre fonti: 0,99 per la pectina di mango, 0,6 per quella di guava, 0,54 per quella di pomodoro e 0,72 per quella di mela.
I valori di acidità libera dei due lotti ci permettono di concludere che l'acidità aumenta quando il pH del mezzo di estrazione diventa meno acido e la procedura di estrazione diventa più drastica (tempo di idrolisi più lungo), ma si osserva che il tempo di idrolisi più lungo ha un'incidenza maggiore sui valori di acidità; Analizzando la tabella 36, se si confronta il trattamento 1 (T1) con il trattamento 6 (T6), in cui l'agente estrattivo (HCl) e il tempo di estrazione (30 minuti) sono gli stessi, ma il pH varia da 2.0 a 3.0, ci si rende conto che il pH è più basso.0 a 3,0, ci accorgiamo che l'acidità è aumentata dell'1,36%; mantenendo costante l'agente di estrazione (HCl) e il pH (2,0) e variando i tempi da 30 a 50 minuti, in questo caso T1 e T5, la variazione dell'acidità è stata del 9,73%.
Lo stesso accade con l'acido nitrico: nel primo caso (aumento del solo pH: T3 e T8), l'acidità è aumentata del 5,4%; nell'altro caso (aumento del tempo di estrazione: T3 e T7), l'acidità è aumentata del 13,78%.
Lo stesso comportamento è stato osservato per i valori di acidità libera della pectina dell'azienda Los Deseos (tabella 35).

6.2.2.7. TEST DEL POTENZIALE DI GELIFICAZIONE

La Figura 12 mostra il comportamento dei trattamenti con diverse percentuali di pectina a diversi pH e^{0} Brix. Si può notare che 55^{0} Brix è il limite della gelificazione, poiché a questo valore inizia a formarsi una piccolissima sineresi (perdita di acqua), mentre a valori inferiori non si ha gelificazione e si osserva una soluzione viscosa. Tra 55 e 65 oBrix, si ha una buona gelificazione, che si mantiene anche al di sopra dei 65 oBrix e, a partire dai 70 oBrix, compare la pre-gelificazione con un gel parzialmente frantumato, dalla consistenza morbida e viscosa. Questo effetto è visibile nell'immagine 12, dove viene mostrata la ripresa fotografica a diversi pH, diversi oBrix e diverse percentuali di pectina, mentre nella tabella 37 vengono presentati i dati di consistenza, struttura e gelificazione di tutti i trattamenti.

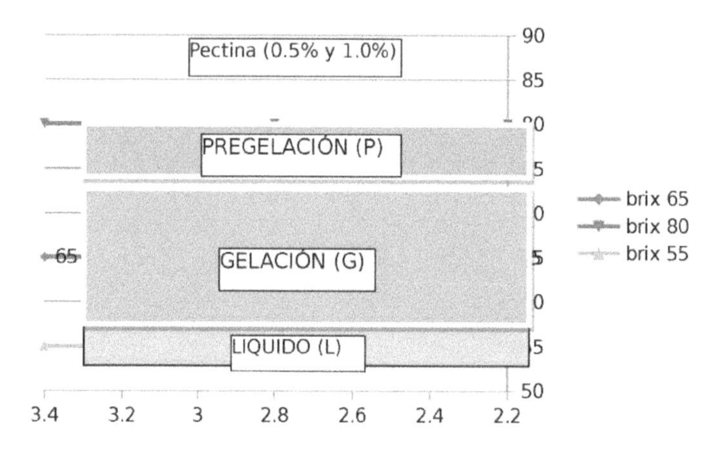

Figura 12. Analisi della gamma di gel formati con percentuali di pectina (0,5-1,0%).

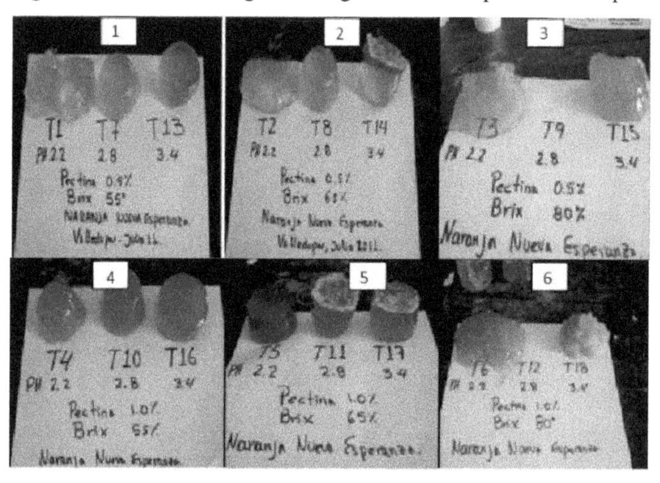

Registrazione fotografica della gelificazione di tutti i trattamenti.

Osservando la figura 12, i riquadri 1, 2 e 3 mostrano il comportamento di gelificazione a diversi pH, con lo 0,5% di pectina e un contenuto di solidi solubili variabile da 55 a 80^0 Brix. Nel riquadro 1, si osserva che a pH 2,2 e 55 °Brix, c'è formazione di gel, ma è un gel molto debole, non è coerente, la sua struttura è omogenea; a pH 2,8 e 3,4, il gel è più forte e di consistenza morbida, ma c'è una leggera sineresi (presenza di gocce d'acqua). Nel riquadro 2, a pH 2,2 e 55 oBrix, il comportamento è simile al precedente, cioè un gel molto debole, non consistente ma omogeneo nella sua formazione; a pH 2,8 e 3,4, il gel è più forte e consistente e la sua struttura è omogenea e non è presente sineresi, ma a pH 3,4 è presente uno strato superiore di cristalli di zucchero. In questo caso, il miglior comportamento gelificante si verifica a pH 2,8, 65°brix (fig. 13). Nel box 3, a pH 2,2 e 80 oBrix, non c'è gelificazione, ma è considerato in uno stato di pre-gellificazione, la struttura non è omogenea e la consistenza è morbida e viscosa (fig. 14); a pH 2,8 e 3,4 è presente anche la pre-gellificazione, con una consistenza migliore della precedente ma morbida, non omogenea e con uno strato superiore duro (fig. 15).

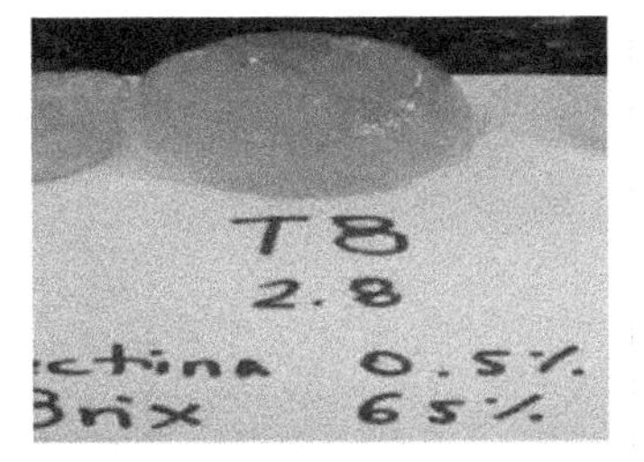

Immagine 13. Gelificazione a pH 2,8, 65 °Brix e 0,5% di pectina.

Pregelazione a pH 2,2, 80 °Brix e 0,5% di pectina.

Pregelazione a pH 3,4, 80 °Brix e 0,5% di pectina.

I riquadri 4, 5 e 6 mostrano il comportamento di gelificazione a diversi pH, con l'1,0% di pectina e un contenuto di solidi solubili variabile da 55 a 80 °Brix. Nel riquadro 4 si osserva che a pH 2,2 e 55 °Brix si forma il gel, ma è un gel di consistenza morbida e la sua struttura è omogenea; a pH 2,8 e 3,4, il gel è più forte, di consistenza moderatamente dura, ma c'è una leggera sineresi (presenza di gocce d'acqua). Nel box 5, a pH 2,2 e 55 °Brix, il comportamento è di tipo gel, con consistenza morbida, struttura omogenea; a pH 2,8 e 3,4, il gel è più forte, di consistenza moderatamente dura e dura, struttura omogenea e nessuna sineresi e la colorazione è più scura rispetto a quella della pectina allo 0,5%, ma a entrambi i pH è presente uno strato superiore di cristalli di zucchero (fig. 16).

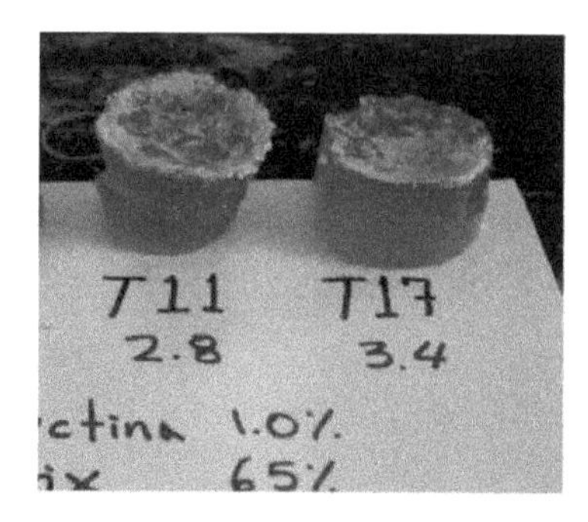

Figura 16. Gelificazione e presenza di strati di cristalli di zucchero a pH 2,8 e 3,4, 65^0 Brix e 1,0% di pectina.

In questo caso, il miglior comportamento gelificante si verifica a pH 2,2, 65 o Brix (fig. 17).

Gelificazione a pH 2,2, 65 oBrix e 1,0% di pectina.

Nella tabella 37, a pH 2,2 e 80 oBrix, non c'è gelificazione, ma è da considerarsi in uno stato di pre-gelazione, la struttura è disomogenea e la consistenza è morbida e viscosa; a pH 2,8 e 3,4 è presente anche la pre-gelazione, con una consistenza migliore della precedente ma morbida, disomogenea e con strati duri (figura 18).

Pregellazione a 80 °Brix, 1,0% di pectina e diversi pH

Tabella 37. Valutazione sensoriale delle caratteristiche di gelificazione di diversi trattamenti con pectina
ottenuto dalla buccia d'arancia di Valencia.

Trattamento	CONDIZIONI			Caratteristiche		
	pH	°BRIX		Coerenza	Struttura	Gamma
T1	2.2	55	0.5	1	omogeneo	Gel molto morbido
T2	2.2	65	0.5	1	omogeneo	Gel
T3	2.2	80	0.5		Viscoso, non omogeneo	pre gel
T4	2.2	55	1.0		omogeneo	Gel morbido
T5	2.2	65	1.0		omogeneo	Gel
T6	2.2	80	1.0		Viscoso, non omogeneo	Pre gel
T7	2.8	55	0.5		Omogeneo (sineresi minima)	Gel
T8	2.8	65	0.5		omogeneo	Gel
T9	2.8	80	0.5		Non omogeneo (ca pa dura superior)	Pre gel
T10	2.8	55	1.0		Omogeneo (sineresi minima)	Gel
T11	2.8	65	1.0		Non omogeneo (strato superiore duro come lo zucchero)	Gel
T12	2.8	80	1.0		Non omogeneo (maggiore durezza)	Pre gel
T13	3.4	55	0.5		Omogeneo - minore consistenza rispetto al T7 - sineresi molto ridotta	Gel
T14	3.4	65	0.5		Omogeneo - inizio dello strato superiore di zucchero duro	Gel

T15	3.4	80	0.5	Non omogeneo	Pre gel
T16	3.4	55	1.0	Omogeneo-sineresi minima	Gel
T17	3.4	65	1.0	Omogeneo - Inizio strato duro	Gel
T18	3.4	80	1.0	superiore Non omogeneo - strato duro superiore	Pre-gel

TEST DEL GRADO DI GELIFICAZIONE DELLA PECTINA

IONE RIPETITIVO	PH	ml di soluzione	BRIX	gr Zucchero	%PECTINA	gr Pectina	°SAG
RI		100	65		0,0486	0,1005	1062,568
R2		100	65	106,788 1	0,0970	0,2007	532,005
R3		100	65	106,773 5	0,1451	0,3004	355,468
R4		100	65	106,782	0,1931	0,4001	266,921
R5		100	65	106,795	0,2415	0,5006	213,304
R6		100	65	106,780 0	0,2896	0,6005	177,818
R7		100	65	106,779 5	0,3376	0,7004	152,456
R8		100	65	106,780 1	0,3854	0,8001	133,460
R9		100	65	106,781 5	0,4335	0,9002	118,618
RIO		100	65	106,780 0 106,781 0	0,4815	1,0005	106,728

Facendo la corrispondente analisi di ogni esperimento è stato possibile determinare che a partire dalla ripetizione 6 il gel rimaneva sul fondo del becher quando si invertiva la sua posizione, ma era più consistente dalla ripetizione 7 in poi, cioè che la pectina analizzata presentava un grado di gelificazione di 152°SAG, questo dato permette di concludere che la pectina studiata ha un alto potere gelificante; tuttavia, confrontando questi risultati con i valori trovati da Rouse (1964) nelle varietà Valencia e Ananas che erano rispettivamente 205 e 185 gradi USA.SAG rispettivamente, possiamo dire che l'arancia Valencia studiata ha un valore basso, ma nonostante ciò, la identifichiamo come dotata di un elevato potere gelificante.

6.2 TEMPO E VELOCITÀ DI GELIFICAZIONE.

I risultati dei tempi di gelificazione della pectina estratta sono riportati di seguito (tabella 39), utilizzando la pectina del trattamento 1 (T1) dell'azienda agricola Los deseos.

Tabella 39. Tempo di gelificazione della pectina estratta

	TEMPO DI GELIFICAZIONE DEL PECTINA ESTRATTA
RIPETIZIONE N	**TEMPO**
R1	14 min 45 sec
R2	16 min 13 sec
R3	18 min 32 sec
PROMEDIO	**16 min 30 sec**

Da ciò si può concludere che la pectina analizzata è classificata come pectina a presa media rapida (Navarro e Navarro, 1985).

6.3 ESTRAZIONE DI OLI ESSENZIALI

6.3.1. Resa dell'olio essenziale.

La tabella 40 mostra la produzione di oli essenziali dell'azienda agricola Los Deseos.

Tabella 40. Produzione di olio essenziale con diverse potenze e 30 minuti di estrazione - Chimichagua. 2009-2010

Id.	Watts	Acqua prelevata, %	Prestazioni di Olio su base secca
T1	200	0	0
T2		0,22	0,07±0,007
T3	500	0,41	0,11±0,008
T4	600	0,62	0,58±0,05
T5		0,64	0,68±0,06

Fonte: semenzaio di ricerca sulla pectina

Valutando la tabella 40, si osserva che a 200 w non si estrae né acqua né olio essenziale e che la massima quantità di acqua estratta si riscontra a 720 w e 30 min. Tuttavia, a questo valore e a quelli superiori, l'olio assume un forte colore giallo o addirittura nero e il materiale solido viene portato via. È stato osservato che nel trattamento a 600 w, l'apparecchiatura cambia la temperatura da 94°C a 100°C dopo 15 minuti e il distillato è di colore giallo, il che indica che da questo momento in poi altri tipi di composti iniziano a distillare e a contaminare il campione. Per quanto riguarda i 700 w, l'apparecchiatura passa da 94°C a 100°C dopo 10 min, provocando lo stesso fenomeno di cui sopra. Si noti che a queste potenze e tempi il materiale è completamente calcinato.

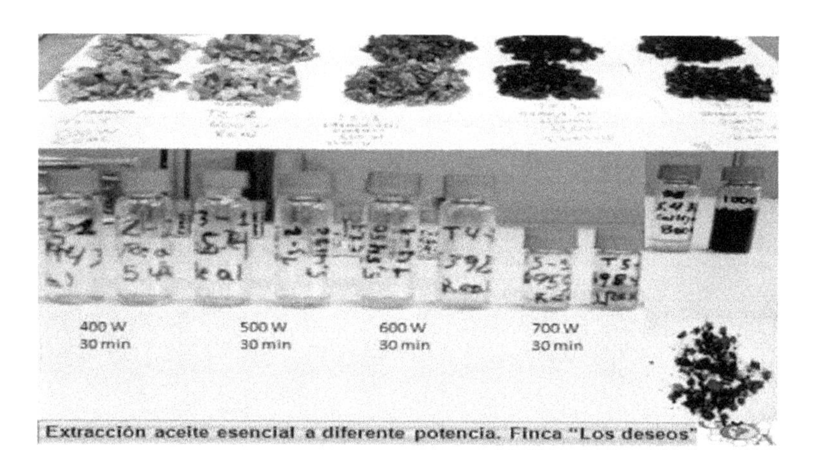

Immagine 19. Estrazione dei desideri dell'olio essenziale di arancio a diversi livelli di potenza

A causa di quanto sopra, il tempo di esposizione del trattamento migliore è stato ridotto, ottenendo rese simili a quelle di 500 w e 30 min, il che significa che a 600 w e un tempo di esposizione di 10 min, si ottiene una resa in olio secco dello 0,58%, non si supera il valore di ebollizione dell'acqua di Medellín e il materiale rimane in buone condizioni e con un cambiamento di colore minimo o nullo.

Le prove sono state effettuate nelle stesse condizioni di prima, aggiungendo acqua (150 ml di acqua), e si è constatato che la quantità di acqua aggiunta non era sufficiente per distillare e che la resa è molto simile a quella ottenuta senza acqua, il campione rimane dello stesso colore, con una buona consistenza ma più umido rispetto all'inizio ed è necessario conservarlo in modo che non ci sia decomposizione, il che indica che è meglio farlo senza solvente, in quanto i costi dell'aggiunta di acqua sono ridotti e che da un punto di vista ingegneristico non sembrerebbe conveniente aggiungere acqua e doverlo distillare di nuovo.

6.3.2. Analisi dell'olio essenziale estratto dai due lotti.

Di seguito sono riportati i risultati dei componenti maggioritari degli oli essenziali estratti dalle due aziende.

Tabella 41. Componenti dell'olio essenziale estratto senza solvente - "Los deseos" (30 min)

composto	400w(%)	500 w (%)	600 w (%)	720w (%)	600 w+ 150 ml (%)
Limonene	20 - 50,05	46,6 ± 82,8	95,6-98,5	52,3-53,8	19,74-66,25

Sabinene	7-18,1	0,12-0,21		34,28-35,14
beta.-Mircene		0,23-1,59	0,92-1.04	
alfa - Phellandrene		0,04-0,05		
1R-.alfa.- Pinene		0,17-0,35		

Nella tabella 41 sono riportati i componenti più importanti rilevati tramite gascromatografia accoppiata alla massa, dove si evidenzia che il contenuto di limonene è superiore al 95,6 a 600 w e contrasta con i valori inferiori al 66,2% degli altri trattamenti. Tuttavia, il contrario è vero per il sabinene, con i valori più bassi riportati a 600w.

Una volta stabilito il valore di 600w come potenza appropriata, è stato condotto un esperimento per determinare il tempo di esposizione appropriato per produrre la maggiore quantità di olio e per evitare che i gusci si deteriorino. La figura 13 mostra il comportamento a diversi tempi di estrazione, i cui valori sono simili fino a 20 minuti e differiscono fortemente a 30 minuti. Tuttavia, come si può vedere nella figura 14, dopo 10 minuti senza solvente, il materiale inizia a carbonizzare e a 30 minuti è completamente carbonizzato.

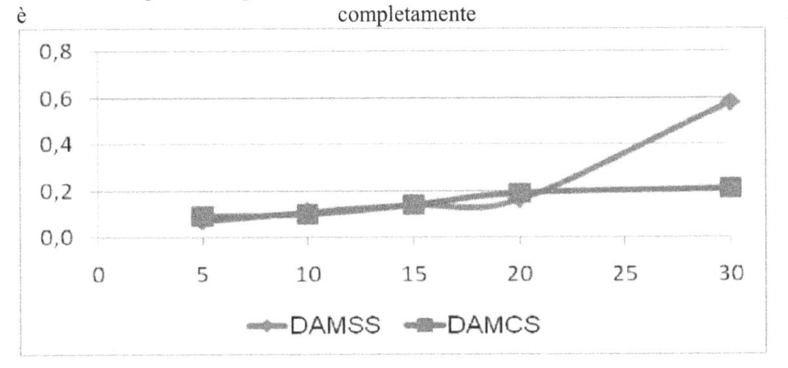

Figura 13. Resa di olio a diversi tempi di estrazione con e senza solvente - 600 W - "Los deseos".

È quindi definitivo che le condizioni migliori per l'estrazione sono 600 w e 10 minuti di estrazione, come confermato dalla tabella 42, dove è riportata la concentrazione dei componenti dell'olio essenziale, in particolare il limonene, i cui valori sono compresi tra 90,5-97,9% a 10 minuti.

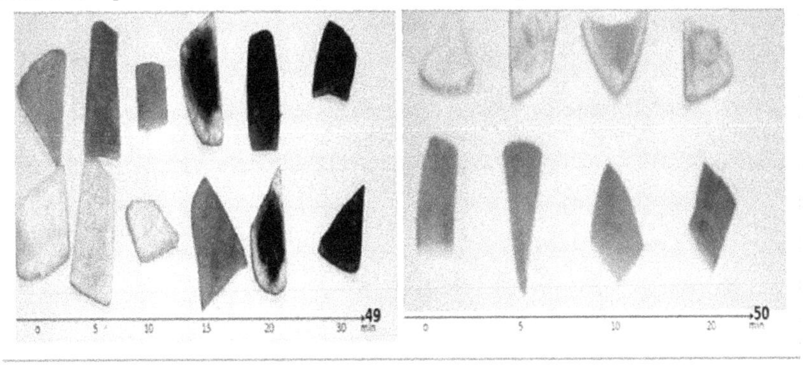

Figura 14. Stati delle arance a diversi tempi di estrazione dell'olio essenziale con e senza solvente.
Tabella 42. Componenti dell'olio estratto senza solvente in tempi diversi - 600W-"Los deseos".

composto	5 min (%)	10min(%)	15 min (%)	20 min (%)	30 min (%)
Ossalicacido , Estere ciclobutilico esadecilico	50,13-99,4	0	77,4-86,2	57,5-67,9	0
Alfa pinene	0	0,3-0,31	0,03-0,04	0,06-0,07	0,17-0,35
Limonene	0	90,5-97,9	11,8-18,5	32-33,6	95,6-98,5
Ciclotrisilossano, 2,4,6-trimethyl-2,4,6-trifenile	0,147				
Bacchotricuneatina	1,98				

La Tabella 43 mostra valori molto bassi, inferiori al 66%, di limonene ottenuto dalle bucce utilizzando l'acqua come solvente e il riscaldamento a microonde, indicando che l'estrazione senza solvente è migliore e che ulteriori test saranno effettuati a 600w - 10 min con microonde senza solvente utilizzando l'acqua in situ nella buccia come solvente.

Tabella 43. Componenti dell'olio essenziale estratto con solvente a differenti tempi - 600 W- "Los deseos".

Composto	5min (%)	10 min (%)	20 min (%)	30 min (%)
beta terpinene	0,08-0,09	0,24	6,0	14,28-24,14
Limonene	40,6 - 54,7	29,5	26,7-45.1	19,74-66,25
Beta mircene			0,31	

Nell'azienda "Los deseos", il comportamento del contenuto di olio estratto è decrescente, con il massimo contenuto di olio allo stadio di maturazione 1, per poi passare allo 0,14% e allo 0,08% allo stadio di maturazione 3 (vedi figura 15), in modo simile a quello ottenuto da Reig (Reig Feliu A. 1943) e Di Giacommo (Di Giacomo A., Bovalo F e Postrino E. 1971).

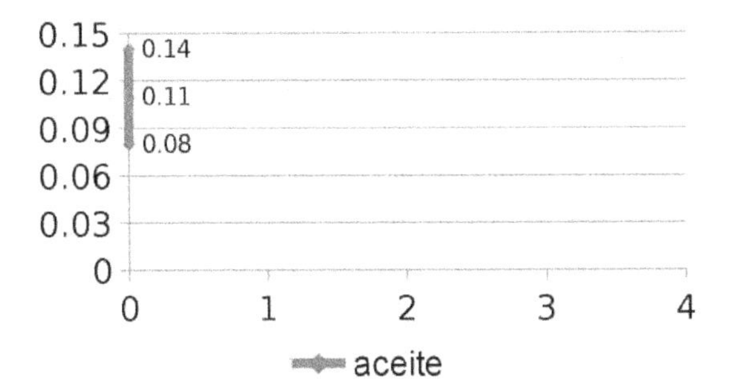

Figura 15. Comportamento dell'olio essenziale a diversi stadi di maturazione, scorze d'arancia, Desideri

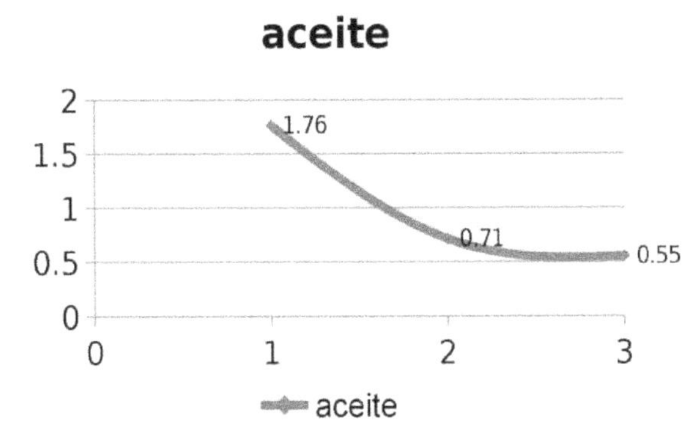

Figura 16. Comportamento dell'olio essenziale a diversi stadi di maturazione, bucce d'arancia, nueva esperanza.

La Figura 16 mostra che il massimo contenuto di olio in base secca delle bucce d'arancia del terreno "Nueva Esperanza" si ottiene al primo stadio di maturazione (1,76%), per poi scendere allo 0,55%; questi contenuti sono addirittura superiori a quelli riportati da altri autori (rese vicine allo 0,4%) (Ferhat, M; 2006; Rojas, J; 2009).

La Tabella 44 mostra una grande variazione nel contenuto di limonene, probabilmente dovuta alla non omogeneità delle caratteristiche del suolo, soprattutto tra la parte superiore e inferiore dell'appezzamento. Il contenuto di mircene aumenta ai livelli di maturità 2 e 3, il che è diverso dai risultati ottenuti da alcuni autori che hanno riportato che non cambia con il livello di maturità. Per il suolo "Nueva Esperanza", tabella 45, la stabilità del contenuto di limonene (94-97,6%) può essere dovuta all'elevata omogeneità del suolo; il contenuto di mircene diminuisce con l'aumentare della maturità; sabinene, carene e a-phellandrene non variano con la maturità e l'a-pinene aumenta dalla prima alla seconda maturità e rimane stabile.

Tabella 44. Composti presenti nel lotto "Los Deseos" a diversi gradi di maturazione

Composto	Maturità uno	Maturità due	Maturità
Limonene	96.01-97.49	90.5 - 97.9	49.3-97.41
P-Mircene	0.23-0.3	0.13-1.22	0.33-0.95
Sabineno	0.13-0.24	0.17-0.2	0.09-0.2
a-pinene	0.07-0.21	n.d.	0.24-0.31
a-felandreno	0.22	n.d.	n.d.
a-Tujeno	n.d.	0.20-0.21	0.086-0.09
Biciclo[3.1.1]hept-2-eno, 3,6,6-trimetile	n.d.	n.d	0.1-0.28

n.d. non rilevato

Poiché le condizioni agro-ecologiche e l'origine genetica dei due lotti di arance sono le stesse, la differenza nella qualità dell'arancia e nel contenuto di olio essenziale dei lotti "Nueva Esperanza" e "Los Deseos" può essere dovuta solo a differenze nel terreno in cui si è insediata la coltura e nelle condizioni di gestione.

Tabella 45. Composti presenti nel lotto "Nueva Esperanza" a diversi gradi di maturazione

Composto	Maturità uno	Maturità due	**Scadenza tre** per cento
Limonene	94.3-97.6	97.04-97.6	97.4-97.6
P-mircene	1.66-1.92	0.93-1.15	0.9-0.96
Sabineno	0.17-0.25	0.14-0.18	0.17-0.18
1R a-Pinene	0.18-0.36	0.32-0.35	0.32-0.33
a-Felandreno	0.05-0.06	0.04-0.05	0.04-0.05
Careno	0.11-0.18	0.09-0.12	0.11-0.12

16.4. APPLICAZIONE DEGLI OLI ESSENZIALI E DELLA PECTINA NELL'INDUSTRIA ALIMENTARE IN BASE AI RISULTATI DELLA VALUTAZIONE.

16.4.1. Applicazione della pectina.

In base ai risultati, abbiamo osservato che la pectina estratta è classificata come pectina ad alto potere gelificante medio e veloce, in quanto i risultati del grado di esterificazione riscontrati erano compresi tra il 67,657 e il 71,227% nell'azienda.

Nueva Esperanza (cfr. tabella 22) e dal 62,867 al 77,910% nella fattoria Los Deseos (cfr. tabella 24), risultati che rientrano negli intervalli dal 66 al 70% per la pectina a presa media rapida e dal 71 al 74% per la pectina a presa rapida (cfr. tabella 4); questi tipi di pectine sono utilizzati per la produzione di marmellate destinate a essere confezionate in piccoli contenitori (massimo 1 kg), poiché la velocità di gelificazione impedisce ai pezzi di frutta di galleggiare durante la fase di raffreddamento. Queste pectine sono utilizzate anche per prodotti che richiedono un valore di pH relativamente alto (pH=3,0-3,5 per il 65% di solidi solubili), come abbiamo riscontrato nella nostra analisi che la nostra pectina gelifica perfettamente a pH 3,4 con il 65% di solidi solubili (vedi tabella 37 e immagine 12).

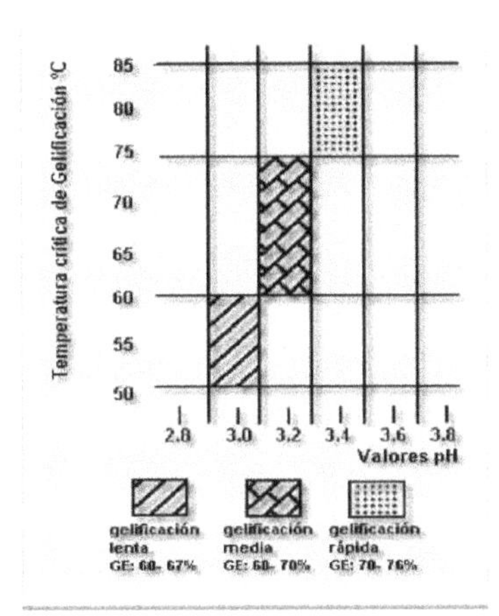

Figura 17. Intervalli di temperatura e pH a cui gelificano le pectine ad alto metossile.

Nel caso delle marmellate, una miscela di pectine a rapida e lenta gelificazione è riuscita a produrre un gel che blocca le particelle di frutta in sospensione ad alte temperature e consente la gelificazione finale a temperature inferiori.

Figura 17. Presenta gli intervalli di temperatura e pH a cui le pectine ad alto metossile gelificano, ma con velocità di gelificazione diverse.

Il dosaggio della pectina può essere facilmente calcolato, in linea teorica, conoscendo la sua gradazione o i gradi SAG e il contenuto di zuccheri della massa da gelificare: il rapporto tra il peso totale degli zuccheri e la gradazione della pectina permette di ottenere la quantità di pectina necessaria alla gelificazione.
In pratica, questo dosaggio, valido per uno sciroppo con 65°Bx e per un dato pH, cambia al variare del suo pH e del valore dei solidi solubili.

La quantità di pectina necessaria per ottenere un gel di una certa consistenza è inversamente correlata alla concentrazione zuccherina della massa da gelificare, come si può osservare nella figura 18.

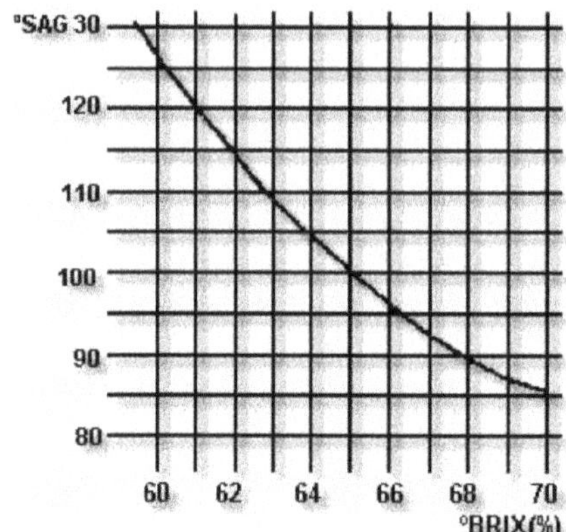

Figura 18 Curva di equilibrio della consistenza del gel al variare della forza della pectina e dei solidi solubili finali del prodotto.

Maggiore è la quantità di zucchero presente, minore è la quantità di liquidi, cioè minore è la densità della struttura per trattenerli (e quindi minore è la pectina), e viceversa, una minore concentrazione di zucchero richiede una struttura reticolare più densa (cioè più pectina) per trattenere la maggiore quantità di liquidi presenti; Nella nostra ricerca possiamo corroborare questa relazione osservando i riquadri 1 e 4 della Figura 12, dove il Brix^0 di 55% è mantenuto costante ma la concentrazione di pectina varia dallo 0,5 all'1%, con una maggiore consistenza del gel nel riquadro 4,

Si scopre che per i solidi solubili bassi è necessaria una quantità maggiore di pectina per ottenere una gelificazione adeguata. Lo stesso vale per le scatole 2 e 5 per un brix costante del 65%.

Considerando il comportamento del pH ottimale di gelificazione rispetto alla concentrazione di zucchero (figura 19), l'interdipendenza delle tre componenti zucchero-acido-pectina può essere rappresentata come in figura 20.

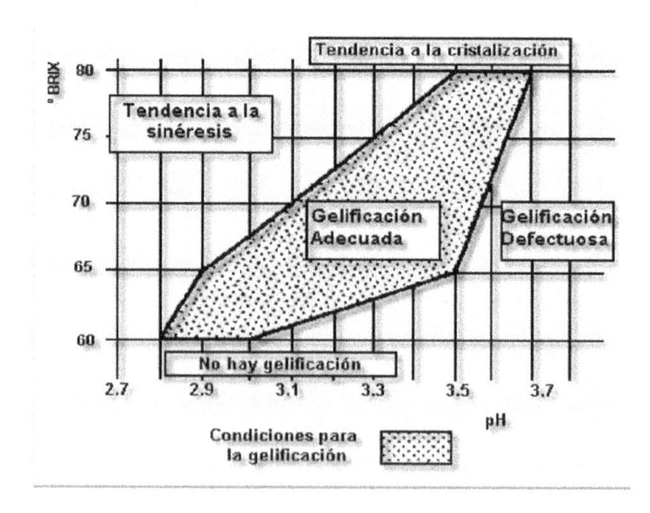

Figura 19. Condizioni di gelificazione delle pectine ad alto metossile.
La figura 19 mostra un' area di gelificazione adeguata tra un intervallo di pH e^0 Brix; quest'area coincide con i risultati ottenuti per il potere gelificante della pectina valutata in questa ricerca (vedi tabella 37), quindi possiamo assicurare che la nostra pectina avrà una gelificazione adeguata all'interno dell'area mostrata in figura 19, e troverebbe applicazione per tutti i tipi di alimenti che mantengono questi intervalli di pH e gradi Brix.
Nella pratica industriale, altri fattori intervengono a modificare le dosi teoriche di pectina; questi sono dovuti alla frutta, al potere gelificante delle sostanze pectiche naturali, alla presenza di sali solubili e fibre insolubili, che contribuiscono alla consistenza del prodotto finale.

La Figura 19 mostra l'area interna del poligono, dove si trovano le condizioni di concentrazione di sostanza secca o solidi della marmellata e il pH a cui è più probabile che si verifichi la gelificazione. Ad esempio, a 65° Brixx la gelificazione può verificarsi se la miscela di ingredienti oscilla tra pH 2,9 e 3,5. Questo intervallo di pH è notevolmente limitato se il Brix scende a 3,5. Questo intervallo di pH è significativamente limitato se il Brix scende a circa il 60% o sale all'80%.
Se un prodotto a 68°Brix ha un pH inferiore a 3,0 o superiore a 3,6, è probabile che presenti sineresi nel primo caso o gelificazione difettosa nel secondo. Se il Brix è inferiore al 60% non ci sarà gelificazione e superiore all'80% ci sarà sicuramente cristallizzazione dello zucchero presente in maggiore concentrazione, come confermato dai risultati riportati nella tabella 37 e/o nell'immagine 12.

La Figura 20 riassume l'interdipendenza dei tre parametri, pectina, pH e Brix.
Si osserva che le miscele ad alto Brix?? gelificano più facilmente a pH 3,2 senza bisogno di pectine ad alto SAG^0 e, viceversa, le miscele a basso Brix?? necessitano di un pH più acido (pH vicino a 2,8) con pectine ad alto SAG o in generale con elevate quantità di pectina.

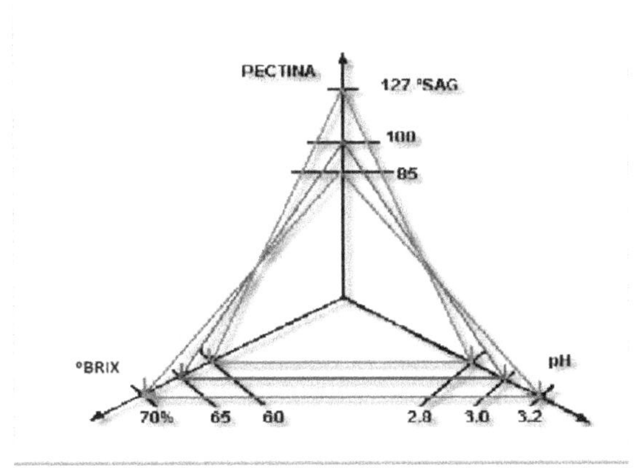

Figura 20. Equilibrio degli ingredienti per ottenere la gelificazione

Considerando la difficoltà di valutare tutti i fattori che modificano i valori teorici, il dosaggio esatto per ogni lotto di frutta o succo si ottiene effettuando un piccolo test, partendo dal dosaggio teorico e modificandolo in base ai risultati ottenuti. A questo punto, il dosaggio ottimale sarà valido per l'intero lotto.

Un ultimo fattore, non legato alla natura dei componenti del prodotto, che influenza il dosaggio della pectina è la dimensione dei contenitori di confezionamento. I vasetti di grandi dimensioni richiedono una maggiore consistenza del prodotto rispetto ai contenitori più piccoli e i dosaggi di pectina variano di conseguenza. Così, ad esempio, per i contenitori da 1 kg è necessario aumentare il dosaggio di pectina del 2%. Dovranno aumentare la quantità di pectina del 2%. Un contenitore da 10 kg dovrà essere aumentato del 20%.

Nel processo di gelificazione, la formazione della struttura reticolare del gel avviene durante la fase di raffreddamento successiva alla cottura della miscela dei vari ingredienti, e più precisamente inizia quando viene raggiunta la temperatura critica di gelificazione della pectina utilizzata. In pratica, i valori teorici di questa temperatura vengono superati di qualche grado in presenza di sali naturali della frutta.
Per quanto riguarda la temperatura a cui si verifica la gelificazione, essa è maggiore se uno dei seguenti fattori è aumentato: acidità, Brix, quantità di glucosio o di pectina e ancora di più se è ad alto contenuto di metossile e a gelificazione rapida (Figura 17).

Oltre all'eccessiva inversione e caramellizzazione del saccarosio, la cottura prolungata causa un inconveniente più grave per la pectina, ovvero la sua degradazione e il suo danneggiamento irreparabile. Mantenere l'impasto a temperature superiori a 100° C compromette rapidamente le qualità gelificanti della pectina causandone l'idrolisi.

È quindi molto importante, per sfruttare appieno il potere gelificante della pectina, ridurre al minimo il tempo in cui la pectina è coinvolta nella cottura e accelerare il raffreddamento del prodotto finito.

In base alle condizioni in cui la pectina estratta e analizzata in questa ricerca dovrebbe essere trattata, possiamo assicurare che questa pectina può essere utilizzata nell'industria alimentare in combinazione con gli zuccheri come agente addensante o gelificante, grazie alla sua elevata proprietà di formare gel in un mezzo acido e in presenza di zuccheri. Quando la pectina viene riscaldata insieme allo zucchero, forma una rete che si indurisce al raffreddamento (Food-info, 2006).

In genere viene utilizzato nella produzione di gelatine, preparati di frutta, concentrati di succo di frutta, succhi di frutta, dessert, gelati, marmellate e prodotti caseari fermentati (Canteri, 2005).

In alcuni prodotti il suo uso può essere limitato solo al miglioramento della consistenza, ma il suo uso potenziale è quello di gelificare efficacemente i prodotti che soddisfano le condizioni di pH e Brix precedentemente stabilite per questa pectina.

6.4.2. APPLICAZIONE DEGLI OLI ESSENZIALI

Questi oli forniscono all'industria alimentare sapori e aromi caratteristici, ampiamente utilizzati in panifici, marmellate, dolciumi, caramelle, bibite, gelati, conservanti, biscotti, prodotti caseari, ecc.

Oltre all'impiego nell'industria alimentare, l'uso degli oli essenziali in altri settori, come l'industria chimica, cosmetica e agroindustriale, come insetticidi, battericidi e agenti antifungini, è in forte espansione.

L'azione antimicrobica di contatto degli oli essenziali è risultata efficace ad alte concentrazioni e per brevi periodi. Livelli di vapore compresi tra 0,1 e 0,9 mg/L nell'aria possono inibire la crescita di batteri patogeni (Inouye *et al.*, 2001). Gli studi sull'efficacia dei vapori di olio di timo e origano hanno dimostrato che sono buoni agenti batteriostatici e battericidi contro *E. coli, S. typhimurium* e *P. aureginosa (Pérerex). aureginosa* (Pérez, 2006); così come i vapori degli oli di cannella, aglio, citronella e arancio sono in grado di controllare la crescita di muffe come *Aspergillus niger, Aspergillus parasiticus, Penicillium digitatum e Penicillium italicum* (Coronel, 2004).

L'attività antimicrobica degli oli essenziali di agrumi è stata precedentemente valutata contro batteri e muffe. O'Bryan *et al.* (2007) hanno determinato, mediante diluizione in agar, la concentrazione minima inibente (MIC) di diversi oli essenziali di arancio contro 11 ceppi di *Salmonella con* risultati soddisfacenti e MIC comprese tra 0,125 e 1%.

D'altra parte, Viuda-Martos *et al.* (2008), mediante diluizione in agar, hanno valutato l'azione antifungina degli oli essenziali di limone, mandarino, pompelmo e arancio su muffe comunemente associate al deterioramento degli alimenti: *Aspergillus niger, Aspergillus flavus, Penicillium chrysogenum e Penicillium verrucosum*; giungendo alla conclusione che i quattro oli essenziali studiati mostrano la capacità di ridurre o inibire la crescita delle muffe citate.

È stata inoltre evidenziata la capacità di questi oli essenziali di inibire batteri e microrganismi. Per questo motivo, negli ultimi anni sono state condotte molte ricerche che hanno dimostrato il potere antimicrobico degli oli essenziali, in particolare di quelli estratti dagli agrumi; tra questi studi ricordiamo quello di Dabbah *et al.* (Dabbah, 1970), secondo cui gli oli essenziali di mandarino, arancia e pompelmo hanno dimostrato di possedere un'attività antibatterica contro ceppi batterici di: Staphylococcus aureus, Escherichia coli, Bacillus subtilis, Pseudomonas aeruginosa e Salmonella, tra gli altri.
Questi risultati rendono rilevante lo studio degli oli essenziali, in particolare degli oli di agrumi, a causa della loro grande importanza per l'industria farmaceutica e alimentare. È noto che gli oli essenziali, utilizzati come additivi alimentari, hanno effetti antimicrobici e allo stesso tempo agiscono come aromi (Morales, 1996).

French (1985) sottolinea che è estremamente difficile correlare l'attività antimicrobica a un singolo composto o a una classe di composti, poiché i vari componenti di un olio possono agire in modo sinergico. Pertanto, è necessario un approccio olistico per spiegare le capacità antimicrobiche di un olio essenziale, le cui prestazioni potrebbero essere il risultato di un equilibrio quantitativo di vari componenti, in cui prevalgono gli effetti sinergici (Caccioni *etal.*, 1998).

Nel numero di febbraio di Trends in Food Science and Technology (Katie Fisher, 2008), viene pubblicato un articolo in cui gli autori propongono l'uso di oli essenziali di agrumi già utilizzati negli alimenti, in particolare arancia, limone, lime e pompelmo, che hanno dimostrato di inibire la crescita di batteri sia gram (+) che gram (-) e di essere sicuri.

L'uso di queste sostanze solleva ovviamente alcuni interrogativi, come l'effetto di questi composti sulla normale flora microbica intestinale. Tuttavia, poiché gli oli di agrumi sopra citati sono già utilizzati negli alimenti come aromi, si presume che non dovrebbero causare uno squilibrio nella microflora.

Ciò che potrebbe costituire una limitazione, o comunque condizionare il suo utilizzo in qualsiasi tipo di alimento, sono le sue caratteristiche organolettiche.

Il meccanismo d'azione degli oli essenziali di agrumi è ancora sconosciuto. Alcune teorie indicano che potrebbero indurre cambiamenti morfologici a livello della membrana cellulare, come dimostrano

alcuni studi che hanno evidenziato la disintegrazione della membrana cellulare esterna; altri hanno osservato un ispessimento e una disfunzione della parete cellulare (Katie Fisher, 2008).
Finora è stato studiato l'uso di questi oli essenziali in alcuni alimenti, come pesce, carne e prodotti caseari.

Pesce: l'applicazione di citrale e linalolo ha ridotto la microflora nella pelle, nell'intestino e nelle branchie di pesci (carpe) conservati a 20 °C per 48 ore.

Carne: le essenze di limone e arancia in polvere sono state applicate alle polpette di carne a una concentrazione del 5% e si sono dimostrate efficaci contro i microrganismi più frequenti nella carne per 12 giorni.

Latticini: i panel di assaggio hanno indicato che solo le essenze di limone, arancia e pompelmo sarebbero accettabili per l'uso nel latte. Tuttavia, solo il terpineolo è risultato efficace contro Salmonella senftenberg, E. coli, S. aureus e Pseudomonas spp.

Tra i principali componenti degli oli essenziali di agrumi, in particolare dell'olio di arancio, spicca la presenza di oltre il 90% del componente d-limonene, di cui si riportano di seguito alcune possibili applicazioni.

Uso potenziale del d-limonene come solvente sostitutivo di solventi organici pericolosi e come intermedio nelle trasformazioni verso prodotti utili.
Il limonene è utilizzato nella produzione di aromi, aromi, liquori, profumi, prodotti per l'igiene personale e come materia prima per i prodotti farmaceutici e nella sintesi organica. Dal limonene si possono sintetizzare diversi prodotti o intermedi per altre trasformazioni, tra cui la più importante è la trasformazione in para-cimene, che trova applicazione nell'industria dei profumi, dei polimeri e farmaceutica ed è anche un solvente (www.chemsoc.org/pdf/gcn/limonenepractical.pdf).

Il limonene ci interessa perché è un prodotto presente in natura con una varietà di applicazioni e si presenta come un solvente ecologico, offrendo così una soluzione all'uso di solventi organici volatili, tutti pericolosi e inquinanti, finora ampiamente utilizzati nell'industria e nei laboratori.

Il limonene ha diverse applicazioni:
a) . Sostituzione di solventi organici tossici .
Il limonene può sostituire i solventi tossici, cancerogeni e altamente infiammabili presenti in pitture, sverniciatori, vernici, colle di gomma e plastica, come il benzene, il toluene, lo xilene e i solventi clorurati. Questi solventi possono essere sostituiti dal limonene anche nelle pratiche di laboratorio, come ricristallizzazioni, reazioni e in tutte le applicazioni note di questi solventi. Nei laboratori di patologia il limonene è una buona alternativa allo xilene, poiché è facilmente assorbito, metabolizzato ed eliminato dal corpo umano.
b) . Altre applicazioni industriali:
Tra le importanti applicazioni industriali, cresciute straordinariamente nell'ultimo decennio, il limonene, pur essendo utilizzato come fragranza nell'industria alimentare e cosmetica, è impiegato come solvente in prodotti per la pulizia di ogni tipo, sia industriali che domestici, poiché mescolato con acqua e un tensioattivo produce un detergente biodegradabile, non tossico e con un gradevole profumo di limone, che è un ottimo rimuovente di catrame e asfalto, poiché riesce a sospenderli facilmente per poterli rimuovere. Per questo motivo è ampiamente utilizzato per la pulizia di macchinari, parti elettroniche, iniettori, ecc.
Poiché non è tossico e non costituisce un pericolo per la salute e la sua unica controindicazione nota

è l'irritazione degli occhi, viene utilizzato anche come solvente negli insetticidi e negli shampoo antiparassitari per cani.

c) . Trasformazione in altre sostanze utili all'industria

Dal limonene si possono sintetizzare altri prodotti o intermedi, tra cui il più importante è la trasformazione in *para-cimene*, che trova applicazione nell'industria dei profumi, dei polimeri e farmaceutica. Il limonene viene deidrogenato per produrre *para-cimene*, che può poi essere convertito in *para-cresolo*, utilizzato in disinfettanti, profumi, conservanti o erbicidi. Questi composti trovano applicazione anche nell'industria tessile come agenti pulenti.

CONCLUSIONI

Le analisi effettuate sulle arance Valencia coltivate nel Dipartimento di Cesar, nel comune di Chimichagua, hanno evidenziato un contenuto di succo superiore al 50% a partire dal secondo stadio di maturazione, solidi solubili superiori a 10,5, acidità compresa tra 0,5 e 0,7 e un indice di maturità superiore a 15. Il 10% dei campioni analizzati presenta una percentuale di succo inferiore al 40%, pur avendo una dimensione C e un diametro superiore a 63 mm, superando tutti i valori stabiliti dalla norma 4086, il che permette di concludere che a partire dal secondo colore tutte le arance soddisfano i requisiti specifici richiesti dalla norma e possono essere consumate fresche, quindi questa arancia soddisfa i requisiti per essere utilizzata nell'industria.

J Nel contesto di questo studio, le condizioni migliori per l'estrazione dell'olio essenziale di arancia Valencia tramite microonde sono state 600 W e 10 minuti; il contenuto di olio essenziale è risultato statisticamente uguale con o senza solvente. Il contenuto di olio essenziale è risultato inferiore nelle bucce dell'azienda agricola "Los Deseos", con una resa dello 0,11% allo stadio di maturazione 2, rispetto allo 0,71% allo stesso stadio di maturazione dell'azienda agricola Nueva Esperanza.

J Dall'olio essenziale ottenuto per idrodistillazione assistita da microonde (HDMO) dalla buccia dell'arancia dolce *Citrus sinensis osbeck*, varietà Valenciana, specie coltivata nella regione di Chimichagua, Cesar, Colombia, il principale costituente volatile identificato è stato il monoterpene noto come limonene, con una concentrazione media del 95,76% allo stadio di maturazione 2.

J L'olio essenziale estratto e analizzato in questo studio può essere utilizzato nell'industria alimentare come aromatizzante e per fornire aromi caratteristici ampiamente utilizzati in panetteria, pasticceria, dolci, bibite, gelati, conservanti, biscotti, prodotti caseari; Oltre al suo utilizzo in altri settori, come quello agroalimentare, come agente antifungino, si conclude che l'olio essenziale studiato può avere la capacità di ridurre o inibire la crescita di muffe come *Aspergillus niger, Aspergillus flavus, Penicillium chrysogenum e Penicillium verrucosum,* comunemente associate al deterioramento degli alimenti.

J Il contenuto di materiale pectico nella lolla è stato del 9,620 ± 0,764 % (b.s.) per il fincalosdeseos e del 9,968 ± 1,114 % (b.s.) per il finca nueva esperanza ed è definito come la percentuale di sostanze colloidali insolubili in alcool, composte principalmente da polimeri di acido galatturonico, presenti nella lolla.

La pectina ottenuta dalla buccia d'arancia (*Citrus Sinensis Osbeck*) varietà valencia dell'azienda agricola Nueva Esperanza presentava un alto grado di esterificazione che andava dal 67,657 ± 0,870% al 71,227 ± 0,721% con una media del 69,442% e un'alta percentuale di metossile del 13,004% e una purezza di circa il 40,025% come acido galatturonico. In base a questi dati, la pectina forma gel con un'alta percentuale di solidi solubili e in ambiente acido.

J Grazie alla sua velocità di gelificazione, 16,5 minuti, la pectina ottenuta corrisponde al tipo commercialmente noto come "Medium rapid set" e all'interno di questa classificazione è una pectina a gelificazione rapida.

J Sulla base della proprietà sopra menzionata, la pectina ottenuta può essere utilizzata nella produzione di gel con solidi in sospensione dove la gelificazione rapida rappresenta una distribuzione uniforme del prodotto.

J La pectina ottenuta si presta a essere allungata con zuccheri e/o con pectine di qualità inferiore per uniformare la qualità del prodotto a livelli commerciali più vantaggiosi per il produttore.

RACCOMANDAZIONI

- J *Realizzare* uno studio sull'ottimizzazione del processo di estrazione della pectina per ottenere rese più elevate, a condizione che le caratteristiche fisico-chimiche e organolettiche della pectina siano preservate, rendendo così più fattibile la creazione di un impianto per la sua estrazione.

- J Condurre uno studio per determinare le caratteristiche tecniche del limonene, il principale costituente dell'olio essenziale analizzato in questa ricerca, per determinarne il grado tecnico e alimentare.

- J Realizzare uno studio di fattibilità per l'assemblaggio e l'avviamento di un impianto per l'estrazione di oli essenziali e pectina da bucce d'arancia (*Citrus Sinensis Osbeck*) varietà Valencia, nel dipartimento di Cesar.

- J Visti i risultati ottenuti sulle caratteristiche qualitative dell'arancia analizzata in questa ricerca, ottimali per il commercio e l'industria, si raccomanda di effettuare uno studio di fattibilità per l'eventuale realizzazione di un impianto di lavorazione e trasformazione di questa importante materia prima.

- J Condurre studi sulle rese e sulla qualità della pectina estratta dalla stessa fonte in diversi stadi di maturazione e nei due periodi di raccolta in cui si prevede che i risultati possano variare.

- J Recuperare l'etanolo generato nella fase di precipitazione e valutarne il riutilizzo nel processo.

- J Studiare diversi metodi per l'utilizzo dei rifiuti generati, come la corteccia delle bucce e la bagassa dell'idrolisi, per ottenere materiale compostato.

RIFERIMENTI BIBLIOGRAFICI

A. M. Bochek, N. M. Zabivalova e G. A. Petropavlovski (2001). Determinazione del grado di esterificazione dell'acido poligalatturonico. Russian Journal of Applied Chemistry, Vol. 74, No. 5, 2001, pp. 796-799.Tradotto da Zhurnal Prikladnoi Khimii, Vol. 74, No. 5, 2001, pp. 775-777.
Adams, Robert (1995). Identificazione dei componenti degli oli essenziali mediante gascromatografia/spettroscopia di massa, Ed. Allured Publishing Corporation, Carol Stream, pp 469.
Adomako D. (1974), Caratterizzazione chimica della pectina di cacao. Industria chimica; 21:873-874.
Al Di Cara (1983). Giornale degli oli essenziali. In *Enciclopedia della lavorazione e della progettazione chimica.*
AOAC (1980). Metodi ufficiali di analisi. Associazione dei chimici analitici ufficiali. Washington, D.C.
Barazarte, H., T. Garcia, L. Duran, L. Chaparro e J. Gámez. (2007). Valutazione e accuratezza dei metodi dell'm-idrossifenilfenolo e del carbazolo applicati alla quantificazione delle sostanze pectiche. Agrollania. 4: 53-62.
Barkman, T.J. (1997). Fitochimica 44(5) 875.
Barrado, Andrés (1986). Analisi dei nutrienti degli alimenti. Spagna: Ed. Acribia.
Bhatia, B. S.; Khishnamurthy, G. V.; Lal, G. (1960). Preparazione della pectina dalla papaya cruda (Carica Papaya) con il metodo della precipitazione del cloruro di alluminio; Tecnologia alimentare; 13, 553.
Biocomercio sostenible (2003). Studio del mercato colombiano degli oli essenziali. Instituto de Investigaciones de Recursos Biológicos Alexander Von Humboldt, Bogotá, Colombia. 109p. www.humboldt.orq.co biotrade.

Blanco Tirado, C. (1995). Giornale Cromatografia. 697A 501.
Blumenkrantz, N. e G. Asboe-Hansen (1973). Nuovo metodo per la determinazione quantitativa degli acidi uronici. Anal. Biochemistry. 5: 484-489.
Braverman, J. (1967). Introduzione alla biochimica degli alimenti. Barcellona, Spagna: Ed. Omega. p. 111-124.
Burt, S. A. (2004). Oli essenziali: le loro proprietà antibatteriche e le loro potenziali applicazioni negli alimenti: una rassegna. Int. J. of Food Microbiol. 94: 223. Citato in **Perez, T. F.** (2006). Efficacia dei vapori di olio di timo e origano come agenti antibatterici. P.18. Tesi di Master. Universidad de las Américas, Puebla, Messico.
Cabeza M. (2004). Microrganismi produttori di pectinasi a basse temperature per la vinificazione, CONICET e Laboratorio di Biotecnologia, Dipartimento di Biologia - Alimenti, Facoltà di Scienze, Università di San Martin, Argentina.
Cabra Rojas E (1988). Los Aceites Esenciales, Panorama Internacional y del Mercado Colombiano. *Tecnología*, **175** (5): 55-60.
Calvo, Miguel (2006). Le pectine. Biochimica degli alimenti. [Sito web: http://milksci.unizar.es/bioquimica/temas/azucares/pectinas.ht mljconsult: 20 aprile 2007].
Carbonell, E., E. Costell e L. Duran (1989). Valutazione di diversi metodi per la misurazione del contenuto di pectina nella marmellata. J. Assoc. Off. Anal. Chem. 72(4): 689693.
Carbonell, E., E. Costell e L. Duran. 1990. Determinazione del contenuto di pectina nei prodotti vegetali. Rev. Agroquim. Tecnol. Tecnol. 30(1): 1-9.
Chaliha, B. P.; Barna, A. D.; Siddappa, G. S. (1963) Il limone Assam come fonte di pectina. Parte I: Effetto del metodo e della sansa sul recupero e sulla qualità della pectina; Indian Food Packer, 17, n. 3, 1,
Copenhagen Pectin (1991). Distribuzione del peso molecolare della pectina. Metodo HPLC. *Apl. Br.* **aprile**, 1428.

Coronel, C.P. (2004). Vapori di estratti di spezie e condimenti come agenti antimicrobici. Tesi di master. Universitá delle Americhe, Puebla. Messico.
Corporación Colombia Internacional (2006). Colture permanenti e annuali per comune. Cesar 2006.
Costa-Batllori. D. (2003). Gli antiossidanti naturali nell'alimentazione animale. Conferenza inaugurale dell'anno accademico 2003-2004. Accademia Reale di Scienze Veterinarie. Citato in Ramírez, M. (2008). Estrazione per trascinamento di vapore e analisi delle proprietà antiossidanti dell'olio essenziale di rosmarino. Tesi di laurea. Universidad de las Américas, Puebla, Messico.
D'addonisio R., Marín M., Ruesga L., Vasquez R. (2008). Facoltà di Ingegneria, Università di Zulia, Venezuela. Estrazione di pectina dalla buccia di piantaggine (Mussa AAB, sottogruppo plantain) clone harton. Revista facultad agronómica, Vol. 25 pp. 318-333.
Dabbah, R., V.M. Edwards e W.A. Motas (1970). Attività antimicrobica di alcuni oli di agrumi su selezionati batteri di origine alimentare. Microbiologia applicata. 19 (1): 27-31
Denayer, R., Tilquin, B. (1994). Riv. Ital. Eppos 5 7-12. CA 122(1995)247999x. Devia, Jorge (2003). Processo di produzione di pectine citriche. In: Revista Universidad Eafit. Universidad Eafit. Medellín: (gennaio-febbraio-marzo, 2003); p. 21-29 **Di Giacomo A.,Bovalo F e Postrino E**. (1971). Sull' essenza di arancia prodotta industrialmente dai frutti della piana di rosarno. Essenz. Der. Agrum. 41:239
Díaz J A (2002). Analisi del mercato internazionale degli oli essenziali e degli oli vegetali. Istituto Alexander Von Humboldt-Biocomercio Sostenible. Bogotà.
Dugo, G. (1992). Journal Essential Oil Resources, 4 589-594.
Dugo, G. (1992). Profumo. Flavor. 17 (5) 57-74.
Indagine nazionale sull'agricoltura (ENA) 2009. ITC - MADR.
Eskin, N.A.M. (1971). Biochimica degli alimenti. Stati Uniti: Ed. Academic Preus.
Espinal CF, Martínez HJ, Peña Y. (2005). La filiera agraria in Colombia: una visione globale della sua struttura e dinamica 1991-2005. Bogotà: Ministero dell'Agricoltura e dello Sviluppo rurale, Observatorio Agrocadenas Colombia. [Sito web]. Disponibile all'indirizzo: http://www.agrocadenas.gov.co. Accesso: 15 marzo 2005.
Statistiche URPA - Segreteria dell'Agricoltura del Dipartimento di Cesar. 1993.
Estrada, Amparo (1998). Pectine di agrumi. Effetto del trascinamento del vapore sull'estrazione e dei diversi metodi di essiccazione. In: Revista Noos. Università Nazionale della Colombia. Manizales: (7, dic., 1998); p. 23-34.
Studio del mercato colombiano degli oli essenziali. Istituto di ricerca per le risorse biologiche "Alexander Von Humboldt". 2003. Colombia. www.humboldt.orq.co. www.humboldt.orq.cobiocomercio.
FAOSTAT © Divisione Statistica della FAO. Luglio 2009.
Ferhat, M.; Meklati, B.; Smadja, J.; Chemat F. (2006). Un apparato Clevenger a microonde migliorato per la distillazione di oli essenziali dalla buccia d'arancia. *JournalofChromatography.* A, 1112, pp 121-126.
Fisher, K. e Phillips, C. (2008). Potenziali usi antimicrobici degli oli essenziali negli alimenti: gli agrumi sono la risposta? Trends on Food Science and Technology. 19:156.
Fiszman S.M., Costell E., Duran L. (1984). Il comportamento reologico dei gel idrocolloidali. Relazione con la loro composizione e struttura. Rivista. Agroquim Food Technology. Vol. 24, n. 2 p. 177-189 (1984).
Francis, B.J. e Bel, K.J. (1975). La pectina commerciale; una rassegna. In: Tropical Science: 17; p. 25-44.
Gaviria, N., López, L. (2005). Estrazione su scala di laboratorio della pectina del frutto della passione e scalata preliminare all'impianto pilota. Lavoro di laurea. Università Eafit. Medellín.
Genu Pectin Co. (1979). Kobenhavns Pektinfabrik. Manuale tecnico della fabbrica di pectina Genu in Danimarca. pp 65.
Gierselmer K. Pectina ed enzimi pectinici nella frutta (1997). Tecnologia degli ortaggi. 118, pp171 -185.

Giraldo V, Celina (1991). Ottenere pectina dal pomodoro da albero. Ingegneria di base. Tesi di laurea. Università Nazionale. Facoltà di Miniere. Medellín.
Gómez Z., Juan F. (1998). Fattibilità tecnica dell'isolamento e della caratterizzazione della pectina citrica per il settore agroindustriale (lavoro di laurea). Medellín: Corporación Universitaria Lasallista, Facoltà di Amministrazione.
Griffiths, D. W. (1992), Phytochemistry Anal. 3 250-253 (1992).
Grosse R et al (2000). Estrazione dell'olio essenziale dell'arancia Cajera. *Acta Científica Venezolana* **51**(2), 200-208.
Günther, E. 81984). *Gli oli essenziali.* Vol. 1: Storia e origine dell'analisi della produzione delle piante. Krieger Publishing: New York, USA.
Guzmán, R., A. Suárez e C. Castro. Castro (1977). Determinazione del contenuto di pectina nel mango e sua applicazione nella produzione di marmellata. Notiziario dell'Università di Bogotà. Colombia.
Harborne, J.B., "Phytochemical Methods" (1973), Chapman & Hall, Londra, 92-105 pp.
Heath, H.B. e Reineccius, G. **(1986)**. *Chimica e tecnologia degli aromi.* AVI HERBSREITH. La mela. La pectina.
Herbstreith & Fox (2001). Gli specialisti delle pectine. http://www.herbstreith-fox.de/produkte/englisch/einstant.htm (10feb. 2001).
Hercules, Food Gums Division (n.d.). Descrizione generale della pectina (sl). (se.). p. 3-21.
Ibarz, A., A. Pagán, F. Tribaldo e J. Pagán. (2006). Miglioramento della misurazione dei dati spettrofotometrici nei metodi di determinazione della m-idrossibifenile pectina. Food Control 17:890-893.
Comitato IFT per la standardizzazione della pectina (1959). Relazione finale. In Food Technology Journal. 13: 496-500.
Ingham, B.H. (1993). Giornale dell'agricoltura e della chimica alimentare. 41 951-954.
Inouye, S., Takizawa, T. e Yamaguchi, H. (2001). Attività antibatterica degli oli essenziali e dei loro principali costituenti contro i patogeni del tratto respiratorio per contatto gassoso. J. Antimicrobial Chemotherapy. 47: 565-573.
Istituto di ricerca sulle risorse biologiche Alexander von Humboldt. Sustainable BioTrade (2003). Studio del mercato colombiano degli oli essenziali. Bogotà, p109. [Sito web]. Disponibile all'indirizzo http://www1.minambiente.gov.co/viceministerios/ambiente/mercados_verdes/IN F0%20SECT0RIAL/Mercado%20nacional%20de%20aceites %20esenciales.pdf. Accesso: 10 ottobre 2008.
Giornale dell'educazione chimica. 68 267 (1991).
Jennifer P. Rojas Ll., Aidé Perea V., Elena E. Stashenko. Stashenko (2009). Ottenere oli essenziali e pectine dai sottoprodotti del succo di agrumi. Vitae, rivista della facoltà di chimica farmaceutica. ISSN 0121-4004 Volume 16, 1, pp. 110-115.
Jennings, W. e Shibamoto, T. (1980). Qualitative analysis of flavour and fragrance volatiles by glass capillary gas chromatography, Ed. Academic Press, London, p. 472.
Jiménez, M.C., Soto, J. e Villaescusa, M.A. 2006. "Chimica fisica per ingegneri chimici". Editorial de la UPV. Valencia. Valencia. Spagna.
Jittra, S., N. Suwayd, S. Cui e D. Goff. 2005. Estrazione e caratterizzazione fisico-chimica della pectina di krueo Ma Noy. Idrocolloidi alimentari. 19(5):793-801.
Joseph. G. H. e Baier, W. E. (1949). Metodi per determinare la fermezza e il tempo di presa delle gelatine di prova di pectina. Giornale della tecnologia alimentare. 3:18-22.
Katie Fisher, Carol Philips (2008). *Potenziali usi antimicrobici degli oli essenziali negli alimenti: gli agrumi sono la risposta?* Trends in Food Science & Technology, **19**, 3, 156-164.
Kertesz, Z.I. (1951) "Le sostanze pectiche". Interscience. New York.
Kim WC, Lee DY, Lee CH, Kim CW (2004). Ottimizzazione dell'estrazione della narirutina durante la fase di lavaggio della produzione di pectina dalle bucce di agrumi. Journal Food Engineering; 63 (2): 191-197.
Kitner, P.K. e J.P. Van Buren (1982). Interferenza dei carboidrati e sua correzione nell'analisi della

pectina con il metodo m-idrossibifenile. Journal Food Science. 47: 756-759.
Konig, W.A. e Joulain, D. (1998).The atlas of spectral data of sesquiterpene hydrocarbons, Ed. Verlag, Hamburg, 658 p.
Kovats, E. Helv. Chim. Acta, 1958, Vol. 41, 1915p.
Liu Y, Shi J, Langrish TAG. (2006). Estrazione in acqua di pectina da flavedo e albedo di bucce d'arancia. Chemical Engineering Journal (3); 120: 203-209.
Lopez J B, Jean F, Gagnon H, Collin G, Garneau F, Pichette A (2005). *Rivista Risorse degli oli essenziali.* **17**: 1-7.
Maat, L. (1992). Rivista Risorse degli oli essenziali. 4 615-621 (1992).
Marín RF, Soler C, Benavente O, Castillo J, Pérez JA (2007). Sottoprodotti di diversi processi agrumicoli come fonte di fibre funzionali personalizzate. Chimica degli alimenti. 100(2): 736-741.
Martínez, A. (2003). Oli essenziali. *Revista Universidad de Antioquia*, pp. 1-34.
May, C.D. (1990). Pectine industriali: fonti, produzione e applicazioni. *Carbohydrate Polymers* **12**, 79-99.
McCready, R. e E. McComb (1952). Estrazione e determinazione dei materiali pectinici totali nella frutta. Anal. Chem. 24:1986-1988.
McCready, R. e E. McComb (1970). La pectina nei metodi di analisi degli alimenti. Per Joslyn, M.A. New York, Academic Press. Cap. XIX pagg. 565-597.
Merck Chemicals (2009). Limonene. Disponibile: http://www.mcrk- chemicals.com.mx
Mesbahi G, Jamalian J, Farahnaky A. (2005). Uno studio comparativo sulle proprietà funzionali delle pectine di barbabietola e di agrumi nei sistemi alimentari. Idrocolloidi alimentari. 19 (4): 731-738.
Michel F, Thibault J-F, Mercier C, Heitz F, Pouillaude F. Estrazione e caratterizzazione delle pectine dalla polpa di barbabietola da zucchero. Journal Food Science, 1985; 50: 1499-1502.
Miranda, M.E. (1993). Caratteristiche, produzione e uso delle pectine. In: Revista alimentación, equipos y tecnología, Anno n^0 12, N^0 9, pp. 61-66.
Miyamoto A, Chang KC (1992). Estrazione e caratterizzazione fisico-chimica della pectina da residui di testa di girasole. Journal Food Science; 57: 1439-1443.
Mondello, L. (1994). ChromatographiA, 39 529-538.
Mondello, L. (1996). Rivista Chromatography Science. 174-181 (1996).
Monsoor MA, Proctor A. (2001) Preparazione e proprietà funzionali della pectina di soia. Journal American Oil Chemical Society, 78(7):709-713.
Morales de Godoy, V. (1996). Estrazione e caratterizzazione dell'olio essenziale del lime di Tahiti Citrus aurantiifolia (Chritms) Swingle. Lavoro di laurea speciale. LUZ. Facoltà sperimentale di Scienze, Maracaibo, Venezuela. pp. 18-19.

Morin, Ch. 1985. La coltivazione degli agrumi. 2 ed. San José, Costa Rica: IICA. 607p.
Navarro, G.; Navarro, S. (1985). "Sostanze pectiche: chimica e applicazioni". Segreteria delle pubblicazioni e dello scambio scientifico. Università di Murcia.
O'Bryan, C.A., Crandall, P. G., Chavola, V. I. e Rickie, S. C. 2007. Attività antimicrobiche degli oli essenziali di arancio contro *Salmonella spp.* Journal Food Science, 73(6): 264-267.
Obipectina. Pectina. [Online], Svizzera, [citato l'11 gennaio 2005]. Disponibile su World Wide Web: http://www.obipektin.ch/eZprodukte/set pektin.htm.
Ochocka, J. R (1997), Phytochenistry, 44(5) 869,
Organizzazione delle Nazioni Unite per l'alimentazione e l'agricoltura (1975) Standard di identità e purezza di alcuni additivi alimentari, esaltatori di sapidità, addensanti e altri. Roma.
Ortiz, Claudia e Acevedo, Fernando (2002) Produzione di pectinasi mediante fermentazione sommersa utilizzando scarti di agrumi come substrato (Progetto finanziato da COLCIENCIAS, PMBTA e OAS). Medellín.
Ortuño, M.F. (2006). Manual Práctico de Aceites Esenciales, Aromas y Perfumes. Aiyana Ediciones. Spagna.
Pagan J. (1998). Degradazione enzimatica e caratteristiche fisiche e chimiche della pectina della

bagassa di pesco, Biblioteca Virtual Miguel de Cervantes, **Pauli, A.** (2001). Proprietà antimicrobiche dei costituenti degli oli essenziali. Rivista internazionale di aromaterapia. 11(3): 126.
Pérez, T. F. (2006). Efficacia dei vapori di olio di timo e origano come agenti antibatterici. Tesi di master. Università delle Americhe, Puebla, Messico.
Pilgrim, G.W. (1991). Marmellate, gelatine e conserve. In: La chimica e la tecnologia della pectina. San Diego CA: Academic Press.
Pilnik, W. e Voragen, A. G. (1970). Sostanze pectiche e altri uronidi. In Hulme, A.C. ed. The Biochemistry of Fruits and their products. Londra, Academic Press. Vol. 1. pp. 53-80.
Piano di sviluppo dipartimentale. Un Cesar per tutti. 2008-2011.
Praloran, J. C. (1977). Los agrios. Barcellona, Spagna: Blume p.520. Editori, USA.
Pruthi, J. S.; Mookerji, K. K.; Lal, G. (1960). Studi sulla disidratazione della guaiava per il successivo recupero della pectina durante la bassa stagione; Central Food Tech. Res. Inst., India.
Puerta, Jimmy Andrés (2001). Ottenere pectine dalla buccia di mele (malus domestica Borkh) della varietà ANNA. Noos Journal. Università Nazionale della Colombia. Manizales. p. 137-147.
Quimerco S.A., 2004
Ramírez, Jairo (1980). Parametri per l'estrazione e la caratterizzazione della pectina da pomodori arborei. Progetto di laurea. Università Nazionale. Dipartimento di Processi Chimici. Medellin.
Reig Feliu A. (1943). Analisi quantitativa delle essenze di frutta degli agrumi più coltivati in Spagna. Bol. Inst. Nal. Invest. Agron. Quaderno N0. 33
Rodríguez, M.D., A. Redondo e M.J. Villanueva. 1992. Studio comparativo dei metodi dell'm-idrossifenilfenolo e del 3,5-dimetilfenolo per la determinazione delle sostanze pectiche nella rapa (*Brassica napus*). Alimentaria. 79: 79-82.
Rojas, J.; Perea, A.; Stashenko E. (2009). Ottenere oli essenziali e pectine da sottoprodotti del succo di agrumi. *Vitae*. Vol16 No.01. 110115.
Ros, J.M., D. Saura, L. Coll e J. Laencina. 1992. Metodi analitici avanzati per la determinazione delle sostanze pectiche e delle attività degli enzimi pectici. Rev. Alim. Equip. Tecnol. 2: 149-155.
Rouse e Knorr, L. C. (1970). Valutazione delle pectine dei limoni della Florida raccolti da alberi giovani. Prosc. Fl. State. State Fl. Horticulture. Society. 83:281-284. **Rouse, A. H. Atkins, C. D. e Moore, E. L.** (1964). Valutazione della pectina nei componenti delle arance Pineapple durante la maturazione. Proc. Fl. State Hortic. Fl. State Hortic. 77: 221-273.
Saldarriaga, Francisco (1974). Determinazione delle pectine negli agrumi: arancio dolce (citrus sinensis), arancio acido (citrus auramtimu), pompelmo (citrus paradisi) e limone (citrus limón), coltivati a Cotove (Sta. Fe de Antioquia). Tesi di laurea. Università Nazionale. Facoltà di Scienze Agrarie. Medellín. **Sánchez R, Pino J, Chang L, Roncal E, Rogert E** (1994). De-terpenazione dell'olio essenziale di arancio mediante estrazione con etanolo diluito. *Alimentaria* **249**: 59-61.
Sánchez, F. J. (2006). Estrazione di oli essenziali: esperienza colombiana. II Congresso Internazionale di Piante Medicinali e Aromatiche: Università Nazionale della Colombia, Palmira: 1-8.
Schreier, P. (1984), Analysis of volatiles, methods and applications, Ed. Walter de Gruyter, New York, **1984**, 1463 p.
Shrivas, S. R.; Pruthi, J. S.; Siddappa, G. S. (1963). Effetto dello stadio di maturazione del frutto e della temperatura di conservazione sul contenuto di olio volatile e pectina dei lime freschi; Food Science, 12, 340, 1963.
Sierra L., Bolaños S. (2006). Progettazione di un processo per ottenere e purificare la pectina dagli scarti della lavorazione del caffè, Universidad EAFIT, Colombia.
Stahl, E. ed., "Thin Layer Chromatography. A Laboratory Handbook", 2a edizione, (1969). Springer-Verlag, Berlin-Heildelberg-NewYork, 236-239 pp.
Stashenko, E.E., Combariza, M.Y. e Puertas, M. A. (1988). Oli essenziali: tecniche di estrazione e analisi. Laboratorio di fotochimica e cromatografia, Scuola di Chimica, Facoltà di Scienze, UIS, Bucaramanga, **1998**.
Stashenko, E.E., Martinez, R., Pinzón, M. E. e Ramirez, J. (1996). Cambiamenti nella composizione chimica dell'olio di arancia (citrus senensis) idrogenato cataliticamente. Journal

ofChromatography A. 752(1-2): 217.
Ullman, F. 1950. Enciclopedia di Chimica Industriale. Barcellona, Gustavo Gili, t. ll, 748 p.
Visciglio, S.B. e N. San Juan. 2000. Determinazione del contenuto di pectina nella buccia degli agrumi: modifica e ottimizzazione del metodo del carbazolo. S. Cs. Eng. Alim. 2: 719-733.
Viuda-Martos, M., Ruiz-Navajas, Y., Fernandez-Lopez, J. e Perez-Alvarez, J. (2008). Attività antifungina degli oli essenziali di limone (citrus lemon L.), mandarino (citrus reticulata L.), pompelmo (citrus paradise L.) e arancio (Citrus sinensis L.). Controllo degli alimenti. 19(12): 1130-1138.
Vogler, B. (1998). Giornale della produzione naturale, 61 (2), 175.
Wagner, H., Bladt, S., Zgainski, E. M. (1984). "Plant Drug Analysis", traduzione di Th. A. Scott, Springer-Verlag, Berlin-heildelberg-New York-Tokyo, pagg. 5-8.
Wang S., Chen F., Wu J., Wang Z., Liao X., Hu X. (2005). Ottimizzazione dell'estrazione di pectina assistita da microonde dalla sansa di mela mediante la metodologia della superficie di risposta. Journal offood engineering. Vol. 78 pp. 693-700.
Weiss E A (1997). Colture di oli essenziali. Cab International: New York, USA, pp. 417-511.
Wilkins MR, Widmer WW, Grohmann, K, Cameron RG (2007). Idrolisi degli enzimi cellulasi e pectinasi di scarto della buccia di pompelmo. Bioresource Technology. 98 (8): 1596-1601.
Willats, W.G., J.P. Knox e J.D. Mikkelsen. 2006. La pectina: nuove intuizioni su un vecchio polimero stanno iniziando a gelificare. Trends Food Science. Tecnologia. 17: 97-104.
Yáñez L, Lugo D, Parada Parada, Y. (2007). Studio dell'olio essenziale della buccia dell'arancio dolce (citrus sinensis, varietà valenciana) coltivato a Labateca (Norte de Santander, Colombia). Bistua: Revista de la Facultad de Ciencias Básicas, vol. 5, 1. Universidad de Pamplona, Bucaramanga, Colombia. pp. 3-8.
Knoor, L. C. (1969). Cambiamenti di maturità nelle sostanze pectiche e nell'acido citrico dei limoni della Florida. Prosc. Fl. State Horticulture. Soc. 82:208-212.
Yates, Grand Prairie (1999). Pectine di aloe. Brevetto statunitense n. 5.929.051. 27 luglio 1999.
Yegres S., Sánches J., Belmar M., Riberos W. e Belmar D. (2001). Prove preliminari di produzione di enzimi pectici. Saber, Vol. 13 pp. 5559.

ALLEGATO 1.

Analisi fisico-chimica dell'arancia Los Deseos Valencia

Analisi fisico-chimica dell'arancia Los Deseos Valencia - Prima parte											
PUNTAT A 0	#	PES Og	e m m	CALIBRO RE	COLO R NTC	PESO g CASCA RA	PESO g SEMIL LA	PESO g SUCCO	PH JUG O	SUCCO DI ACIDE Z % Z	°BR IX
P1	1	107, 4		E	1	56,690	3,73	41,32 1	3,82		10, 7
P1		142, 1		D	1	64,540	4,113	69,24 1	3,55		10, 3
P1		206, 1		C	1	94,641	3,771	103,6	3,75		10, 8
P1		163, 4	70, 5	D		80,105	5,162	72,55	3,78		
P1	5	205, 2		C	1	75,78	3,331	121,0 25			
P2	1	225, 1		C	1	154,05 1	2,627	56,66	3,28		8,5
P2		153, 4	65	D		82,210	4,901	57,48	3,49		11, 5
P3	1	145, 3	61, 5	E		57,451	5,100	60,87	3,71		8,7
P3		126, 9	65	D							
P3		147, 9		D		49,869	0,549	81,79	3,38		10
P3		149, 4	67	D	0	87,019		25,90 5	3,08		6,5
P3	5	161, 8	70, 5	D		89,099	6,923	93,03 5	3,77		9,7
P3		201, 8	74, 5	C	1	82,884	5,513	106,1 08	3,79		9,4
P3		192, 7		C	1	92,140	6,363	88,04 3	3,61		11, 2
P3	8	277, 7		C		84,779	3,513	124,5	3,79		9,6
P3		199, 7		C					4.03	0,54	10, 0
P3	1 0	216	75	C		83,596	4,842	119,6	3,84		7,9
P3	1 1	227, 6	75	C	5	112,67 5	5,246	101,6 05	4,31		12, 7
P3	1	187, 3		C	5	148,23	1,32	31,01 7	4,04		12, 8
P3	1	181, 6	72, 5	C		91,541	0,604	76,81	4,12		12, 3
P3	1	189, 5	75	C	5						
P3	1 5	182	70	D		86,893	5,79	84,81	3,58		9,3
P3	1	244, 2	80	C				118,5 45			

P3	1 1	273, g	S3	C	A	11S,A9	6,112	1AA,3	3,6S		1G
P3	1 S	rgб, 1	S3, 3	B	A				A,2S	G,SA	12, S
P3	1 g	r13, S	SS	B	A	11б,Aб G	1,3S1	S1,2S 1			
P3	r 0	2S3, 1	S2	C	A				A,32	G,S2	1A, G
P3	r 1	ro3, S	1S	C					A,AS	G,A1	12, A
P3	r r	22S, A	1S	C	1	g1,AS1	S,G3S	121,3 9A	3,S		9,2
P3	r	198, A	12, 2	C	1				3,SS	G,16	1G, б
P3	r A	23O, 1	1S	C	A				A,SS	G,A1	16, б
P3	r S	19s, r	13, S	C					3,62	G,S2	g,s
P3	r б	r3б, A	SG	C	A				A,32	G,S	1A, G
P3	r 1	rм, g		C							
PA	1	1AA, A	6S	D	G	1S,2S3	3,Aб9	б3,бб A	3,GA		9,1
PA	r	1S1, g	1G	D	1	Sб,og1	2,S29	9S,GG g	3,AA		g,S
PA		1AA, 3		D	1	1S,SgA	A,G2	61,1S S	3,6S		1G, 3
PA	A	r03, 1		C		gS,323	1,1Sg	9S,AS g	A,3S		12, S
PA	S	1SG, 1	6S	D	1	11^11	S,2SS	б9,бб S	3,AA		1G, S
PA	б	1S6, б		D	G	91,22s	3,11S	SS,1G б	2,91		g,s
PS	1	13A, g	6S	D	1	SG,26A	1,S1S	бA,б9 S	3,SA		
PS	r	111, 1	6S	D	1	61,S2g	S,S23	69,G1 1	3,1б		1G, б
PS		12A, 1	63, S	D	1						
PS	A	1G2, S	62, S	D		6S,16S	3,G9	AA,9S g	3,33	1,A	1G, б
PS	S	1SG, S	6S	D	1	66,ssg	1,1SS	1S,G1 б	3,SS		1G, S
PS	б	1AA, S	б	D	1	S3,A11	2,A31	19,31 б	3,1A	G,1A	1G, 1
PS	1	12g, S		D	1	AA,13S	3,3GA	бA,3A G	3,SA	G,S1	1G, S
PS	S	11G, б	1G	D	1				3,1G	G,69	11, r
PS	g	1S6, g	б1, S	D	1				3,12	1,11	11, r
PS	1 0	1S1, r	6S,	D		6S,913	A,3SA	1S,gS g	A,1A		1G, 1
PS	1 1	16s, б	1G	D	1	6S,1S1	A,S1S	SS,26 g	2,S3	G,1A	11, G
PS	1 r	1S6, g	6S, S	D		S1,S1A	A,A1g	6S,9A A	3,S		11, 3

P5	1	161, 4	69	D		68,274	3,759	84,90 0	3,76		10, 4
P5	1	214, 8		C	1						
P5	1 5	259, 4	80	C							
P5	1	206, 9	75	C	0	131,62 0	4,488	67,31 0	3,03		
P5	1	178, 6	70	D	1	68,188	5,242	93,04 0	3,64	0,77	11, 0
P5	1 8	243, 9	82	C							
P5	1 9	240, 1	78	C		96,170	4,138	120,2 87	3,36	0,5	12, 5
P5	0	274, 3	79, 5	C		114,04 8	6,124	130,4	3,42	0,5	12, 6

Analisi fisico-chimica dell'arancia Los Deseos Valencia - Parte 2

PUNTAT A 0	#	ESP 0g	e m m	CALIBRO RE	COLO R NTC	PESO g CASCA RA	PESO g SEMIL LA	PESO g SUCCO	PH JUG O	SUCCO DI ACIDE Z % Z	°BR IX
P5	1	260, 2	80, 5	C		141,12	2,352	110,3 95	4,32		11, 2
P5		240, 7	77, 5	C		104,49 8	2,897	128,4	4,28		12, 3
P5		251, 6	80	C		116,59	2,066	125,2 10	4,56		10, 5
P6	1	171, 3	71	D	1	67,435	4,271	91,70 8	3,61		11, 1
P6		251, 5	80	C		111,20	5,085	127,3	3,99		12, 5
P6		118, 9	60, 5	E				53,40	3,05	2,26	10, 1
P6		120, 4		E							
P6	5	134, 4	77, 5	C		98,870	4,78	121,2	4,01		11, 5
P6		160, 9	69, 5	D	1	82,351	3,764	68,51	3,65		
P6		124, 5	61, 5	E				57,88	2,9	2,4	10, 3
P6	8	149, 9	78, 3	C		104,12	4,228	130,0	4,17		10, 8
P7	1	118, 5		E		68,155	2,446	55,13 5	3,38		10, 1
P7		117, 9	60, 5	E	1	56,834	4,546	52,37	3,31		8,2
P7		302, 4	85	B		173,31	3,066	114,2 58	3,81		11, 5
P7		155, 8	69	D				77,43	3,75		10, 6
P8	1	119, 7	65	D		73,439	1,788	32,56			14, 6
P8		140, 1	65	D	1	61,896	0	73,22 8	3,68		10, 2
P8		126, 5		D		48,583	1,52	70,14	3,68		8,9
P8		135,	63	D	1	56,289	2,308	70,52			10,

		0									0
PS	s	11s, 4	61, s	E		4s,6s1	г,361	sg,g6 0	3,sg		11, 0
PS	б	152, S	6s, s	D		sg,810	3,12s	82,43 s	3,84		11, s
PS	i	1A7, 3	66, s	D		б3,1бг	1,40g	i2,g4 S	3,i6		10, i
PS	S	16A, 0		D	1	i6,4S0	A,321	iS,i0	3,sg		10, i
PS	g	134, 1	6A, s	D				36,s3		3,g4	
PS	1 0	1s3, г	6s	D	г	i0,108	4,4ss	è,4s g	3,61		10, S
PS	1 1	1A8, s	б	D				SS,3i	3,s6	0,i2	11, 1
PS	1 г	1sg, 3		D		66,3 gs	A,12A	è,gs 3	3,i6		8,8
PS	1	1i2, 1	i0	D		i2,iS2	1,363	SS,SS	4,32		12, 2
PS	1	184, 4	i1	D				11g,i 82	4,28	0,42	11, 2
PS	1 s	1i6, 3	i0	D	г	6i,20i	s,436	gg,si s			10, S
PS	1 б	21A, 1	è	C	г			13A,8 3i	4,04	0,s	10, 4
Pg	1	1gi, i	i3, s	C	s	116,96	г,1бг	64,sì		0,s4	14, 1
Pg	г	S0,g	s4	E				46,s2 1	3,S3	0,6i	11, 6
Pg		13s, g	6s	D	1	61,S99	4,111	66,32 S	3,s6		10, g
Pg		11g. S	бг	D	1	43,33г	6,44g	ss,ss 2	3,63	0,ig	10, i
Pg	s	133, 0	б	D	1	48,4si	S,349	6i,gs 1	3,i6	0,se	10, 2
Pg	б	104, s	ss	E	s	42,60S	2,38S	ss,3g s	3,84		11, 6
Pg	i	101, 3	sg	E	1			60,0g 6	4,02	0,s	11, 6
Pg	S	86	SA, s	E	г			s3,ig g	4,2s	0,3i	13, 6
Pg	g	110	63	D	s	64,60s	1,s44	36,36 S	4,43		13, 0
Pg	1 0	121, S		E	1	60,Sg0	4,i0g	s3,22 g	3,31		10, g
Pg	1 1	1s6, 0	6i	D	1	E,26S	6,368	6S,i1	3,6S		
Pg	1 г	1ss, s	6i	D	1	SS,642	2,0s	S4,3i	3,ss	0,ii	11, S
Pg	1	16i, g		D	1	б,г1г	s,63s	S4,s1	3,s1	1,04	10, 3
Pg	1	ig,S	ss	E	1			s1,44	3,sg	0,s2	g,s
Pg	1 s	136, s	6s, s	D	1	s1,s60	4,383	i1,12	3,i2	0,6g	10, 3
Pg	1 б	131, s	6s	D		61,sgi	s,261	ss,S6	3,g3		12, 0
Pg	1 i	1s2, i	66, s	D		66,3g6	s,268	ii,6i i			

PUNTATA	#	ESP 0g	e mm	CALIBRO RE	COLO R NTC	PESO g CASCA RA	PESO g SEMIL LA	PESO g SUCCO	PH JUG O	SUCCO DI ACIDE Z % Z	°BR IX
P9	1 8	105, 5		E		51,453	2,674	47,90 8	3,65		9,8
P9	1	127, 2	62, 4	D	1			76,94	3,65	0,64	9,9
P9	0	159, 8	67	D		65,920	5,759	83,97 9	3,56		10, 7
P9	1		78	C		78,768	0,773	124,1 02		0,59	11, 1
P9		155, 9	71, 5	D		67,749	4,86	76,33 5	4,4	0,32	13, 7
P9		156, 7	71	D	1			93,37 8	3,74	0,79	10, 6
P9		95,5	58	E		45,822	3,257	42,65	3,51		11, 2
P9	5	124, 3		D	1			72,96 8	3,64	0,84	10, 7
P9		117	59, 5	E		55,031	1,905	52,48 1	2,94	2,6	10, 1
P9		103, 9	61, 5	E				71,37 1	3,86	0,54	11, 2
P9	8	84,9	56	E		31,675	2,255	47,45 5	3,65		11, 0
P10	1	257, 5	80, 5	C	1	119,88	5,939	123,7	3,95		9,9
P10		202, 1	76, 5	C	0	131,27	4,124	61,53 5	3,17		8,6
P10		190, 0		C	1	95,535	0,772	90,52	3,95		10, 9
P10		175, 7	71	D		78,975	2,113	86,65	3,83		10, 9
P10	5	170, 0	70	D		79,588	3,559	83,86	3,78		10, 8

Analisi fisico-chimica dell'arancia Los Deseos Valencia - Parte 3

PUNTAT A 0	#	ESP 0g	e m m	CALIBRO RE	COLO R NTC	PESO g CASCA RA	PESO g SEMIL LA	PESO g SUCCO	PH JUG O	SUCCO DI ACIDE Z % Z	°BR IX
P10		215, 1	75	C		95,645	3,735	108,3 48	3,9		
P10		113, 9		E	1	57,245	3,58	47,58 8	3,7		9,2
P10	8	64,6 0	50	E							
P10	9	152, 6	67	D		68,356	2,99	76,80	3,73		12, 3
P10	1 0	215, 3		C	1			121,0 58	4,02	0,5	11, 1
P10	1 1	170, 0	71	D	0	98,289	3,856	64,34 9	3,12		9,4
P10	1	123, 6		D	1			64,94 8	3,87	0,67	10, 3
P10	1	172, 7		D				72,87	3,19	1,88	9,6
P10	1	187. 5		C				113,7 02	3,94	0,57	11, 9
P10	1 5	166, 3	70	D	1			107,3 5	3,87	0,6	10, 3
P10	1	365,	93	A	5	208,82	1,269	131,0	4,27		12,

	б	0				S					S
Rí2	i	g0,S	S6	E	г			дs,gз g	3,19	0,5	12, б
Rí2	г	3Д, S	б	D	i	Sg,19i	Д,129	6S,2S	Д,0б		ii, г
Rí2		!0!	S6	E	i	6í,093	г,109		2,91		g,s
Rí2	Д	24i, g	S0	C	0	iSS,Sg S	S,0бД	13,дг	3,3i	0,5Д	g,3
P!г	S	132, Д	б3	D	г	SS.619	i^SS	1i,sg g	3,1i		i0, g
P!г	б	isg, г	б1, S	D	г	6S^0	3,iii	S2,21 s	3,6S		g,g
P!г	1	iSS, Д	б, Д	D	i	93,31г	Д,05Д	53,19 g	3,21		s,g
P!г	S	129, г	б3	D	i			69,1í г	2,91	!,3б	g,3
P!г	g	г3г, 3	1S	C		119,90 S	5,393	i00,i 1Д			12, г
P!г	i 0	iSS, б		D					2,S1		i0, g
P!г	i i	119, г	10	D				^,1Д i	3,гг	гД	i0, S
P!г	i г	iS0, 3	б9	D		ss,ggд	3,gS3	S3,3S б	3,11		i0, 3
P!г	i	95,7	S6, S	E	Д	Дг,гбД	2,SSS	Д1,05 S	Д,59		Д, б
P!г	i Д	sд,г	SS	E	г						
P!г	i S	SД,Д	SS	E	i				3,1б	0,бг	i0, б
P!г	i б	S1,2	S3, S	E	i			Д9,91 г	3,1Д	0,бД	i0, 1
P!г	i 1	sд,g	SS	E	г			S0,6S Д	3,бД	0,Д5	ii, g
P!г	i S	i0S, 1	59	E	i			б3,Дб б	Д,00	0,бг	ii, 1
P!г	i g	S9,S	S6, S	E	г	дг,gos	Д,013	31,50 g	3,1		ii, 1
P!г	г 0	i0S, 3	S9, S	E	i			б0,19 S	3,1!	0,5г	i0, г
P!г	г i	i2S, 3	б3, S	D	i			11,ДД S	3,б5	0,бг	i0, г
P!г	г г	13б, S	б, Д	D	i			Sì	3,1S	0,5г	ii, 0
P!г	г	1S6, 1	13, S	C	i	S6,11S	д,659	90,гг g	3,SS		g,3
P!г	г Д	г0	1S, S	C	0	1Д,гб г	3^S	61,6S g			
P!Д	i	2SS, s	Sì	C	г	í23,66 б	0,31б	1гД,5 2s	Д^1		i0, г
P!Д	г	г5Д, б	S2	C	г	1ДД,11 S	3,2SS	103,Д	3,1		i0
P!Д		309, б	S9	B	S	2í9,1S	3,1S2	ДS,S0 б	Д,б		д,б
P!Д	Д	2S3, Д	SS	B	г	i3S,iS Д	S^S	i30,i 6S			
P!Д	S	i9S, 0	1г	C	г	10,62S	0,0	112,5 S	5,3б		i0, Д
P!Д	б	г1Д,	S2	C	i				5,31	0,!г	i0,

P14		276, 1	85	B		113,67	4,848	122,7	4,69		10, 6
P14	8	154, 3	68, 5	D	0				3,39	1,26	10, 5
P14		143, 4	67	D	1	64,919	1,301	65,87	4,97		9,7
P14	10	222, 8	79	C	1	105,018	3,242	106,6	5,19		10, 3
P14	11	183, 4		C	1	90,024	0,431	91,62	3,73		9,8
P14	1	220, 7		C		76,080	4,899	126,567	5,37		10, 3
P14	1	270, 0	87	B		202,21	1,955	50,14	4,37		8,1
P14	1	275, 5	92	B		225,61	1,918	129,3	4,59		9,9
P14	15	257, 7	84	B		112,76	1,384	128,4 05	5,5		11, 1
P14	1	200		C	1	71,629	2,795	113,771	5,57		10, 5
P14	1	255, 8	84	B	1	120,93 0	2,406	113,2	3,81		10, 7
P14	18	178, 3	71	D	1				5,61	0,12	11, 1
P14	1	196, 3		C		89,845	1,986	96,22	4,97		10, 3
P15	1	187, 9	72, 5	C		86,625	2,436	94,78			9,8
P15		183, 4	70	D		80,516	7,434	89,36	3,75		10, 6
P15				D		65,997	2,727	79,63			9,6
P15		180, 7	70	D		65,450	2,401	108,679	3,67		10, 3
P15	5	164, 6		D	0	79,931	4,678	73,238			9,6
P15		188, 2		C	1	84,880	7,654	88,848	3,65		9,3
P15		193, 5	71	D	1	107,03	4,997	78,025	3,08		9,4
P15	8	152, 7	67	D							
P15	9	264, 2		C		84,559	6,073	106,694	3,69		10, 0
P15	10	245, 3	80	C		105,41	5,564	125,6	3,74		9,9

Analisi fisico-chimica dell'arancia Los Deseos Valencia - Parte 4

PUNTAT A 0	#	PES Og	e m m	CALIBRO RE	COLO R NTC	PESO g CASCA RA	PESO g SEMIL LA	PESO g SUCCO	PH JUG O	SUCCO DI ACIDE Z %	°BR IX
P15	11	229, 2		C	5	93,592	3,807	125,491	4,34		10, 8
P15	1	248, 7	79	C				128,4	4,24	0,44	9,9
P15	1	272, 8	81	C		119,748	5,68	123,793	4,26		10, 6

P1S	1 A	22g, g	?S	c	г	96,3A0	б,?04	11S,6 gS			10, g
P1S	1 S	214, б	A, S	c	г	sg,?2g	4,334	113,S 21			g,g
P1S	1 б	20S	S, S	c	1			111,0 A3	3,?S	1,0б	g,?
P1S	1 ?	113, 3	б0	E	1	S9,S06	2,63A	AS,sg A	2,g		g,s
P16	1	330	s?, S	в	г	1?2,б4 ?	0,0s3	1A6,1 б	4,2?		10, g
P16	г	23S, 3	79	c	1	160,9S г	A,3SS	6S,22 A	3,24		s,1
P16		304, A	ss	в	г	1б3,13 б	4,42	12S,? 1б	A,2s		?,?
P16	A	2S1, г	s0, S	c	1	12s,S3	S,132	10g,3 0g	3,ss		11, б
P16	S	20 ANNI, A	?3, S	c	г	ss,?2S	1,1Sg	10S,g бб	4,02		g,g
P16	б	188, 3	?1, S	D	г	69Д61	3,г33	104,3 ?S	3,g2	0,S2	11, б
P16	?	1Ag, g	б	D	г	sg,s01	3,S06	g,1A	3,?s	0^g	14, 3
P16	s	1s1, ?	г, A	c	A	S,06S	1,Ass	92,1A 1			
P16	g	16?, 3	бg	D	г	6S,0sS	A,136	93,1s S	3,24	0,??	10, g
P16	1 0	16A, g	6s	D		ss,9S0	4,331	бб^ ?	2,?S	1,бб	g,A
P16	1 1	1S1, 0	б?	D	г	S3, AgS	1^0б	S9,36 g	3,S6	0,??	12, s
P16	1 г	gs,S	б1	E							10, 2
P16	1	gs,1	S?, S	E	г				3,g3	0,42	10, 0

ALLEGATO 2.

Analisi fisico-chimica dell'arancia Valencia di La Nueva Esperanza

Analisi fisico-chimica dell'arancia Valencia di La Nueva Esperanza - Prima parte											
PUNTATA 0	#	PES Og	e m m	CALIBRO RE	COLO R NTC	PESO g CASCA RA	PESO g SEMIL LA	PESO g SUCCO	PH JUG O	ACIDO EZ JUGO %	°BRI X
L	1	90,4		E		31,036	1,682	64,31	4,17	0,4	10,6
L		67,4	51	E		34,227	0,439	25,98	3,51		
L		148, 4	65	D		58,754	1,92	95,29 8	3,97	0,52	10,3
L		135, 9		D		78,789	1,741	59,86	4,45	0,3	10,9
L	5	139, 0	64, 5	D	1	67,28	1,726	62,20 9	4,66		10,9
L		138, 6		D	1	60,435	1,194	67,03	4,62		9,5
L		128, 9		E		58,708	2,93	76,20	3,93	0,57	11,6
L	8	172, 0	70	D	1						
L		174, 6	70	D		80,687	2,638	97,09	3,6	0,82	10,1
L	1	138,		D	1	52,299	2,702	91,67	4,33	0,37	10,3
	0	g						A			
L	1 1	150, 0		D	1						
L	1 r	161, A	6g	D		64,606	4,344	s1,A6	3,sg		11,3
L	1	110, 1	6S	D	r	93,901	0,513	SA,SI	3,s1	0,62	9,6
L	1 A	166, 0	б	D	1	67,7s	2,gsg	101,6 91			
L	1 S	163	б	D	1	63,141	1,952	101,0 0g	4,17	0,42	9,3
L	1	11A, A	6S, S	D	б	11,siA	4,431	19,SA A	3,75		11,3
L	1 1	113, 3	б, S	D	1				4,61	0,24	10,9
L	1 s	161, 0	69, 3	D	r	è,352	3,532	90,46	4,02	0,5	g,s
L	1 g	18G, 0	11, 1	D	r	Sì, 11A	3, ASA	96,05	3,64	0,69	9,3
L	r 0	1s0. 0	72,	C	r	69,102	6,9s9	106,4 1s	3,SA	0,59	9,9
L	r 1	163, 1	11, A	D	A	10,606	2,197	s0,9A	3,sg		g,s
I.	r r	1s2		C	r	102,51	41,12	s0,60 1	4,03	0,44	10
L	r 2	1 e seguenti	6g	D	1	s2,061	4,124	110,3 0s	3,ss	0,61	s,s
L	r A	1s6, 1	10	D	r	quindi,126	A,A2s	110,9	4,16	0,45	9,9
L	r S	11S	69, 3	D	1	61,si9	0,13S	112,2	3,12	0,14	9,5
L	r 6	1s2		D	r	11,924	3, ASA	101,1 0A	3,s1	0,69	9,2

L	r 1	165, 3		D		65,sS9	4,121	77,9G 1	3,94		11,2
L	r s	1si, A	10	D	1	71,43	3,615	111,3 gg	3, se	0,54	g
L	r g	207, r	1S	C	r	102,13 б	3,405	10s,0 ss	3,sg	0,6	10,2
L	0	r3б	1S, A	C	1						
L	1	242, g	è, 3	C	1	136,92 S	1,559	114,6 S	3,ss	0,12	9,4
L	r	r1б, б	1S	C	r	113,11 1	4,13s	143,7 COME	4,31	0,42	9,4
L		rб0, 3	S6	B	1						
L	A	245, б	1S, A	C	1	92,211	4,309	150,0 COME	4,41	0,42	9,3
L	S	251, б	11, A	C	1	133,3б	2,101	124,9 31	3,14	0,11	9,4
L	б	264, 1	79, 1	C	1	106,39 g	3,625	156,1 2s	3,66	1,46	10,2
L	1	ro, S		C	r	100,13 1	4,314	125,0 s2	3,16		12,6
L	s	241, б		C	1	107,22 A	5,932		4,02		9,6
L	g	r30, 1		C	r	s0,AA1	2,559	ss,io s			
L	0	249, 2	79, 7	C	1	105,70	4,64	88,70 8	4,42		10,1
L	1	259, 2	77, 6	C							
L		295, 8	81, 6	C	1						
L		283, 7	81, 8	C		117,18 5	6,6	158,4	3,81	0,64	9,9
L		253, 4	78	C	1	125,64	4,012	130,1	3,87	0,62	9,6
L	5	265, 8	80, 3	C							
L		214, 6	85, 5	B							
L		212, 4	74, 4	C		76,009	0,91	139,4 75	3,84	0,62	10
L	8	224, 2	73, 7	C							
L		247, 7	76, 5	C	1	123,68	3,275	130,0 69	3,84	0,64	9,7
L	5 0	206, 7	71, 4	D	1	92,351	2,917	115,4		0,4	10,7
L	5 1	189, 1	69, 1	D		74,005	6,203		4,08		9,8
L	5		-							0,92	9,6
L	5	204, 6	75	C		100,69	3,861	102,2 56	3,94	0,67	10,7
L	5	296, 9	81, 5	C	1	127,25	4,497		3,56		12,5
L	5 5	259, 1		C		108,57	8,66	136,2	3,85		10,2
L	5	273, 4	82	C	1	136,74	4,96	128,9	3,88		10,7

L	5	261, 5	80	C	1	106,73	5,2	146,0 43			
L	5 8	217, 3		C		91,52	4,527	115,5 35	4,43		10,4
L	5	201, 9	73, 5	C		106,32	4,525	98,00	4,12	0,44	11,3
L	0	261, 7	81	C		115,11	4,617	135,6	3,84		10

Analisi fisico-chimica dell'arancia Valencia di La Nueva Esperanza - parte 2

PUNTATA 0	#	ESP 0g	e mm	CALIBRE	COLOR NTC	PESO g CASCA RA	PESO g SEMIL LA	PESO g SUCCO	PH JUGO	ACIDO EZ JUGO %	°BRI X
L	1	256, 2	80	C	1	118,23	4,022	140,0 58	4,38	0,47	9,5
L		191, 3	71	D	1	91,21	3,874	101,6	3,92	0,6	10,3
L		283, 3		C	1		0,078				
L		255, 9	82	C		128,90	5,538	116,5	3,69		11,8
L	5	297, 5	83, 5	C	1				4,38	0,4	9,3
L		238	76,	C							
			S								
L	1	205, g	1A	c							
L	S	1S1		c	1						
L	g	1A0, 1		D	1	S1,AgS	1,616	S1,S1	A,11	0,A1	g,6
L	1 0	16S, A	6g	D					A,0S	0,A1	g,1
L	1 1	16A, S	6g	D	1	71,04	1,016	gg,61 6	A,SS	0,11	10,S
L	1 1	190, 1	1A, S	c	1	74,437	3,461	11S,A	A,Sg	0,11	10,g
L	1	161, 1	6S, S	D	1	61,601	1,63S	100,S 1A	A,S1	0,31	g,1
L	1 A	1g6, 6	1A	c	1	S1,16A	3,414	114,6 g1	3,SS	0,11	10,6
L	1 S	106, 6	1S	c	1	101,63 6	1,gAg	10S,A Ag	A,1S	0,AA	g
L	1	101, 3	1S, S	c	1	g1,1g1	S,116	103,1 Ag	A,13		g,s
L	1 1	1A1, g	1S, S	c	1	9A,SSS	S,g61	1AS,1	A,11	0,A1	10,g
L	1 S	1A1, 1	S0	c	1	6A,AS1	3,116	111,1 SA	3,gS	0,6A	10,1
L	1 g	3A0, 1	SS	B	1						
L	S 0	31A, 6	SS	B	1						
L	S 1	131, 0		c	1	SA,113	A,39A	143,1 0S	A,A1	0,3A	g,s
L	S 1	116, 1	1A	c	1	g1,101	1,S3S	133,1 AS	A,3S	0,A1	g
L	S	1g6, S		c		11,ASS	A,g1g	11g,S 1	3,gS	0,AS	10,1
L	S A	1S1, g	6	D	1				3,S3	0,6A	10,A

L	S S	1S3, g	61, S	D	1	61,113	1,g61	gS,11 A	3,1A	0,6g	g,1
L	S	1SS, 1		D	1	gs,401	1,041	g1,1g	A,1	0,S1	g,s
L	S 1	1A1, S		D	1	6A,AS1	3,116	19,1s A	3,1S	0,6A	10,3
L	S S	111, 3		D	1	1S,611	1,114	g1,A1 g	3,AS	0,SA	S,S
L	S g	10A, 1	1A, S	c	1	93,AS1	S,0A9	11A,1 1A	A,A1	0,31	10,1
L	g 0	111, 0		c	1						
L	g 1	103, 1	1S	c	1	SA,131	3,614	164,1	3,SS	0,61	10,S
L	g 1	13S, A	1S	c	1	106,1	1,Sg	11S,0 6A	A,6A		g,g
L	g	1A6, S	11, S	c	1	10S,S1 S	A,A9S	143,0 SS	3,SA	1,06	10,6
L	g A	11g	S1	c	1						
L	g S	1Sg, S	S0	c	1						
L		292, 1		C	1	142,27	3,653	141,5	3,63	0,84	11,8

ALLEGATO 3.

Analisi della buccia di arancia Valencia (umidità e ceneri)

ANALISI DELLE BUCCE DI ARANCE DI VALENCIA (UMIDITÀ E CENERI)										
#	Elem ento		X	Y	W2	Z Bagnato d		Z Ceniz a		
		W mues tra	W(cris ol)	W(c + m)		W3	W m. carbonizzato	Cenere a	% UMIDO ANNUNCIO	% ASH AS
	87L	2,985	25,090	27,535	25,95	25,945	25,695	25,13	**65,031**	**2,004**
5	8P12	3,020	28,004	30,622		28,767	28,559	28,02	**70,856**	**0,955**
	20P1	2,306	27,373	29,455		27,958	27,784	27,38	**71,902**	**0,768**
	13P1 0	3,325	33,213	36,099		34,136	33,921	33,24	**68,018**	**1,178**
8	12P1 5	4,240	29,497	33,294		30,539	30,194	29,53 5	**72,557**	**1,001**
	22P1	2,711	27,062	29,494		27,642	27,455	27,07 9	**76,151**	**0,699**
1 0	19P5	3,616	26,009	29,451	27,03 5	27,031	26,725	26,04	**70,308**	**0,988**
1 1	13L	3,564	27,305	30,634	28,12	28,122	27,908	27,34 0	**75,458**	**1,051**
1	11P5	3,565	30,386	33,814	31,39 8	31,398	31,152	30,42	**70,478**	**1,196**
1	11P1	4,585	29,900	34,313	31,08 4	31,079	30,822	29,94 9	**73,283**	**1,110**
1	3P6	4,345	27,839	32,005	29,05	29,055	28,776	27,89	**70,811**	**1,320**
1 5	20P5	5,548	27,479	32,679	29,14 0	29,139	28,572	27,53	**68,077**	**1,154**
1	7P9	2,621	30,386	32,844	31,31 0	31,311	31,028	30,42 1	**62,368**	**1,424**
1	11P8	4,821	27,373	31,932	28,66	28,663	28,224	27,41	**71,704**	**0,943**
1 8	21P1	3,298	27,839	30,912	28,76	28,764	28,481	27,86	**69,899**	**0,748**
1	8P5	3,377	30,274	33,513	31,56	31,565	31,216	30,32	**60,142**	**1,605**
0	15P1 0	4,141	33,213	37,162	34,48 1	34,481	34,095	33,25	**67,891**	**1,114**
1	4P12	3,021	24,887	27,733	25,90 0	25,900	25,517	24,91	**64,406**	**0,949**
	17P5	6,585	29,900	35,975	32,25	31,878	31,849	29,97 5	**67,440**	**1,235**
	18P1	3,757	28,004	31,425	29,19	29,186	29,185	28,04	**65,449**	**1,257**
	10P1 0	6,696	29,497	35,644	31,70	31,510	31,499	29,57 5	**67,252**	**1,269**
5	17P1	7,153	27,062	33,606	29,48	29,036	28,993	27,14	**69,835**	**1,299**
	4P5	8,928	27,305	35,621	31,01 7	30,186	29,905	27,43 1	**65,356**	**1,515**

	23P9	4,715	26,009	30,335	27,69 0	27,670	27,658	26,07 7	**61,604**	**1,572**
8	16P1 5	5,168	25,090	29,756	26,62	26,590	26,573	25,15 1	**67,853**	**1,307**
	17P1	4,236	20,601	24,384	22,00 1	21,968	21,962	20,63	**63,865**	**0,925**

Verde: nuova speranza

Bianco: Los Deseos

ALLEGATO 4.

Resa di pectina dell'azienda agricola Los Deseos

LA PECTINA RENDE I DESIDERI									
TRATA BUGIA 0	r	W campione umido (g)	W campione secco (g)	W pectina estratta essiccata	Media della pectina secca estratta	% PRESTAZIONI (W2/Wl)*l00		%PERFORMANCE SU BASE ASCIUTTA	
T1	rl		66,575	6,5677	5,9703666	**2,39 %**	2,627	8,97 %	9,865
	r2		66,575	4,8895			1,956		7,344
	r3		66,575	6,4539			2,582		9,694
T2	rl		66,575	3,9362	3,7630333	**1,51 %**	1,574	5,65 %	5,912
	r2		66,575	3,2104			1,284		4,822
	r3		66,575	4,1425			1,657		6,222
T3	rl		66,575	5,576	4,7128	**1,89 %**	2,230	7,08 %	8,376
	r2		66,575	4,6836			1,873		7,035
	r3		66,575	3,8788			1,552		5,826
T4	rl		66,575	3,8573	3,7979333	**1,52 %**	1,543	5,70 %	5,794
	r2		66,575	4,1967			1,679		6,304
	r3		66,575	3,3398			1,336		5,017
T5	rl		66,575	5,8404	**6,404433**	**2,56 2**	2,336	**9,62 0**	8,773
	r2		66,575	6,8293			2,732		10,258
	r3		66,575	6,5436			2,617		9,829
T6	rl		66,575	2,408	**2,7846**	**1,11 4**	0,963	**4,18**	3,617
	r2		66,575	3,0295			1,212		4,551
	r3		66,575	2,9163			1,167		4,380
T7	rl		66,575	5,7894	**5,179966 67**	**2,07 2**	2,316	**7,78 1**	8,696
	r2		66,575	5,1645			2,066		7,757
	r3		66,575	4,586			1,834		6,888
T8	rl		66,575	3,2518	**3,211066 67**	**1,28 4**	1,301	**4,82**	4,884
	r2		66,575	2,9456			1,178		4,424
	r3		66,575	3,4358			1,374		5,161

ALLEGATO 5.

Resa in pectina dell'azienda agricola Nueva Esperanza

RESE DI PECTINA DI NUOVA SPERANZA									
TRATA BUGIA O	r	W umidità del campione (g)	W campione secco (g)	W pectina estratta essiccata	Media della pectina secca estratta	% PRESTAZIONI = (W2/WI)*I0 0		PRESTAZIONI IN BASE ASCIUTTA	
TI	rl	I50	39,945	2,981	2,950	1,9 67	I,988	7,385	7,464
	r2	I50	39,945	2,918			I,945		7,306
	r3	I50	39,945				0,000		0,000
T2	rl	40	I0,652	0,322	0,3I0	0,7 75	0,805	2,909	3,024
	r2	40	I0,652	0,298			0,744		2,793
	r3	40	I0,652	0,072*			0,I79		0,673
T3	rl	40	I0,652	I,I86	I,062	2,6 54	2,964	9,967	II,I3I
	r2	40	I0,652	I,050			2,626		9,86I
	r3	40	I0,652	0,949			2,373		8,9II
T4	rl	40	I0,652	0,403	0,4I8	1,0 45	I,008	3,926	3,785
	r2	40	I0,652	0,433			I,083		4,066
	r3	40	I0,652	0,288*			0,720		2,704
T5	rl	40	I0,652	0,603	0,639	1,5 98	I,509	6,001	5,665
	r2	40	I0,652	0,652			I,629		6,II8
	r3	40	I0,652	0,663			I,656		6,220
T6	rl	I50	39,945	0,889	0,762	0,5 08	0,593	1,907	2,226
	r2	I50	39,945	0,634			0,423		I,588
	r3	I50	39,945				0,000		0,000
T7	rl	40	I0,652	I,I54	I,024	2,5 60	2,884	9,614	I0,830
	r2	40	I0,652	0,943			2,358		8,855
	r3	40	I0,652	0,975			2,438		9,I56
T8	rl	40	I0,652	0,36I	0,33I	0,8 28	0,904	3,109	3,393
	r2	40	I0,652	0,373			0,934		3,506
	r3	40	I0,652	0,259			0,647		2,428

I valori non valutati

ALLEGATO 6.

Grado di esterificazione della pectina delle bucce di Nueva Esperanza

GRADO DI ESTERIFICAZIONE FINCA NUEVA ESPERANZA												
TRATTAMENTO TO	W. PECTINA(g)	N(NaO H)	VI mio	V2 mio	Kf	Ke	Kt	ED Sterilizzazione		gruppi metossi	MEDIA ED	CORREZIONE (-9)
T1R1	0,204	0,098	1,30	4,50	2,82	9,77	12,5	77,58	0,77 6	12,871		
T1R2	0,205	0,098	1,20	4,40	2,59	9,51 0	12,1 03	78,57 1	0,78 6	13,025	**78,479**	**69,479**
T1R3	0,204	0,098	1,15	4,40	2,49 8	9,55	12,0 54	79,27	0,79 3	13,136		
T2R1	0,206	0,098	1,30	4,60	2,79	9,89	12,6	77,96	0,78 0	12,931		
T2R2	0,207	0,098	1,20	4,40	2,56 8	9,41 8	11,9 86	78,57 1	0,78 6	13,025	**78,370**	**69,370**
T2R3	0,205	0,098	1,20	4,40	2,59	9,51 0	12,1 03	78,57 1	0,78 6	13,025		
T3R1	0,203	0,098	1,15	4,50	2,51 0	9,82 1	12,3 31	79,64	0,79 6	13,193		
T3R2	0,204	0,098	1,15	4,60	2,49 8	9,99 0	12,4 88	80,00 0	0,80 0	13,248	**80,227**	**71,227**
T3R3	0,205	0,098	1,10	4,70	2,37	10,1 58	12,5 35	81,03 4	0,81 0	13,409		
T4R1	0,207	0,098	1,25	5,20	2,67 5	11,1 30	13,8 05	80,62 0	0,80 6	13,344		
T4R2	0,208	0,098	1,20	4,90	2,55	10,4	12,9 93	80,32 8	0,80 3	13,299	**80,212**	**71,212**
T4R3	0,204	0,098	1,30	5,10	2,82	11,0 76	13,9 00	79,68 8	0,79 7	13,199		
T5R1	0,204	0,098	1,40	4,40	3,04 1	9,55	12,5	75,86	0,75 9	12,602	**76,657**	**67,657**
T5R2	0,206	0,098	1,30	4,50	2,79	9,67 8	12,4	77,58	0,77 6	12,871		

T5R3	0,204	0,098	1,35	4,40	2,93	9,55	12,4 88	76,52	0,76 5	12,705		
T6R1	0,205	0,098	1,30	4,40	2,81 0	9,51 0	12,3	77,19	0,77 2	12,810	79,481	70,481
T6R2	0,203	0,098	1,20	5,20	2,61	11,3 49	13,9	81,25 0	0,81	13,442		
T6R3	0,205	0,098	1,20	4,80	2,59	10,3 74	12,9	80,00 0	0,80 0	13,248		
T7R1	0,204	0,098	1,30	4,50	2,82	9,77	12,5	77,58	0,77	12,871	77,494	68,494
T7R2	0,205	0,098	1,35	4,60	2,91 8	9,94	12,8 59	77,31 1	0,77 3	12,828		
T7R3	0,204	0,098	1,30	4,50	2,82	9,77	12,5	77,58	0,77 6	12,871		
T8R1	0,206	0,098	1,20	4,30	2,58 1	9,24 8	11,8 29	78,18	0,78 2	12,964	78,567	69,567
T8R2	0,204	0,098	1,20	4,50	2,60	9,77	12,3 80	78,94	0,78 9	13,084		
T8R3	0,203	0,098	1,20	4,40	2,61	9,60	12,2	78,57 1	0,78 6	13,025		

ALLEGATO 7.

Grado di esterificazione della pectina delle bucce di Los Deseos

GRADO DI STERILIZZAZIONE DEI DESIDERI													
TRATTAMENTO	W PECTINA	N(NaO H)	V1 mi	V2 mi	Kf	Ke	Kt	Sterilizzazione dell'ED		gruppi metossi due	ED PROMEDIO	CORREZIONE (-9)
T1R1	0,2016	0,087	1,1	3,1	2,136	6,020	8,16	73,81	0,738	12,280	78,231	69,231
T1R2	0,2012	0,087	0,8	3,1	1,557	6,032	7,59	79,49	0,795	13,168		
T1R3	0,2088	0,087	0,8	3,5	1,500	6,563	8,06	81,39	0,814	13,465		
T2R1	0,2013	0,087	1,2	3,0	2,334	5,835	8,17	71,43	0,714	11,905	73,371	64,371
T2R2	0,2053	0,087	1,0	2,8	1,907	5,340	7,25	73,68	0,737	12,260		
T2R3	0,2002	0,087	1,0	3,0	1,956	5,867	7,82	75,00	0,750	12,466		
T3R1	0,2042	0,087	0,7	4,5	1,342	8,628	9,97	86,54	0,865	14,261	86,910	77,910
T3R2	0,2014	0,087	0,6	4,1	1,166	7,970	9,14	87,23	0,872	14,368		
T3R3	0,2085	0,087	0,6	4,0	1,127	7,511	8,64	86,96	0,870	14,325		
T4R1	0,2026	0,087	1,0	3,9	1,932	7,536	9,47	79,59	0,796	13,184	77,290	68,290
T4R2	0,2016	0,087	0,9	3,8	1,748	7,379	9,13	80,85	0,809	13,380		
T4R3	0,2083	0,087	1,2	3,0	2,255	5,639	7,89	71,43	0,714	11,905		
T8R1	0,2067	0,087	1,2	3,0	2,273	5,682	7,95	71,43	0,714	11,905	74,206	65,206
T8R2	0,2015	0,087	1,0	3,0	1,943	5,829	7,77	75,00	0,750	12,466		
T8R3	0,2064	0,087	1,0	3,2	1,897	6,070	7,97	76,19	0,762	12,653		
T6R1	0,2087	0,087	1,1	3,0	2,063	5,628	7,69	73,17	0,732	12,179	76,86	67,86
T6R2	0,2024	0,087	0,7	2,9	1,354	5,609	6,96	80,56	0,806	13,334		
T6R3	0,2055	0,087	1,2	0,8	2,286	1,524	3,81	40,00	0,400	6,828		
T5R1	0,2034	0,087	1,2	2,9	2,310	5,582	7,89	70,73	0,707	11,795	71,87	62,87
T5R2	0,2023	0,087	1,1	3,0	2,129	5,806	7,93	73,17	0,732	12,179		
T5R3	0,2027	0,087	1,5	3,8	2,897	7,339	10,24	71,70	0,717	11,947		
T7R1	0,2049	0,087	1,5	3,5	2,866	6,687	9,55	70,00	0,700	11,679	73,84	64,84
T7R2	0,2071	0,087	1,2	3,7	2,268	6,994	9,26	75,51	0,755	12,546		
T7R3	0,2029	0,087	1,2	3,8	2,315	7,332	9,65	76,00	0,760	12,623		

ALLEGATO 8.

Tempo di gelificazione della pectina estratta

TEMPO DI GELIFICAZIONE DELLA PECTINA ESTRATTA	
RIPETIZIONE	TEMPO IN MINUTI
R1	14 MIN 45 SEC
R2	16 MIN 13 SEC
R3	18 MIN 32 SEC
MEDIA	16 MIN 30 SEC

ALLEGATO 9.

Verifica del potenziale di gelificazione della pectina

GELIFICAZIONE								
TRATTAMENTO	RIPETIZIONE	**PH**	la mia soluzione	**BRIX**	gr Zucchero	**%PECTINA A**	gr Pectina	**GRADO DI GELIFICAZIONE**
TI	R1	2, 2	90	55	85,52	0,5	0,8820	96,960
	R2	2, 2	90	55	85,52	0,5	0,8820	96,960
T2	R1	2, 2	90	65	106,78	0,5	0,9888	107,985
	R2	2, 2	90	65	106,78	0,5	0,9888	107,985
T3	R1	2, 2	90	80	198,688	0,5	1,4507	136,961
	R2	2, 2	90	80	198,688	0,5	1,4507	136,961

T4	R1	2, 2	90	55	85,52	1,0	1,7729	48,237
	R2	2, 2	90	55	85,52	1,0	1,7729	48,237
T5	R1	2, 2	90	65	106,78	1,0	1,9877	53,721
	R2	2, 2	90	65	106,78	1,0	1,9877	53,721
T6	R1	2, 2	90	80	198,78	1,0	2,9170	68,146
	R2	2, 2	90	80	198,78	1,0	2,9170	68,146
T7	R1	2, 8	90	55	85,52	0,5	0,8820	96,960
	R2	2, 8	90	55	85,52	0,5	0,8820	96,960
T8	R1	2, 8	90	65	106,78	0,5	0,9888	107,985
	R2	2, 8	90	65	106,78	0,5	0,9888	107,985
T9	R1	2, 8	90	80	198,688	0,5	1,4507	136,961
	R2	2, 8	90	80	198,688	0,5	1,4507	136,961

T10	R1	2, 8	90	55	85,52	1,0	1,7729	48,237
	R2	2, 8	90	55	85,52	1,0	1,7729	48,237
T11	R1	2, 8	90	65	106,78	1,0	1,9877	53,721
	R2	2, 8	90	65	106,78	1,0	1,9877	53,721
T12	R1	2, 8	90	80	198,688	1,0	2,9160	68,136
	R2	2, 8	90	80	198,688	1,0	2,9160	68,136
		8						
T13	RI	3, 4	90	55	85,52	0,5	0,8820	96,960
	R2	3, 4	90	55	85,52	0,5	0,8820	96,960
T14	RI	3, 4	90	65	106,78	0,5	0,9888	107,985
	R2	3, 4	90	65	106,78	0,5	0,9888	107,985
T15	RI	3, 4	90	80	198,688	0,5	1,4507	136,961
	R2	3, 4	90	80	198,688	0,5	1,4507	136,961
T16	RI	3, 4	90	55	85,52	1,0	1,7729	48,237
	R2	3, 4	90	55	85,52	1,0	1,7729	48,237
T17	RI	3, 4	90	65	106,78	1,0	1,9877	53,721

	R2	3, 4	90	65	106,78	1,0	1,9877	53,721
T18	RI	3, 4	90	80	198,688	1,0	2,9160	68,136
	R2	3, 4	90	80	198,688	1,0	2,9160	68,136

ALLEGATO 10.

Test del grado di gelificazione della pectina

TEST DEL GRADO DI GELIFICAZIONE DELLA PECTINA							
RIPETIZIONE N	**P H**	la mia soluzione	**°BRIX**	gr Zucchero	**% PECTINA**	gr Pectina	**GRADO DI GELIFICAZIONE**
R1		100	65	106,788 1	0,0486	0,1005	1062,568
R2		100	65	106,773 5	0,0970	0,2007	532,005
R3		100	65	106,782	0,1451	0,3004	355,468
R4		100	65	106,795	0,1931	0,4001	266,921
R5		100	65	106,780 0	0,2415	0,5006	213,304
R6		100	65	106,779 5	0,2896	0,6005	177,818
R7		100	65	106,780 1	0,3376	0,7004	152,456
R8		100	65	106,781 5	0,3854	0,8001	133,460
R9		100	65	106,780 0	0,4335	0,9002	118,618
R10		100	65	106,781 0	0,4815	1,0005	106,728

ALLEGATO 11.

Acidità titolabile della pectina Los Deseos

Acidità titolabile della pectina Los Deseos				
TRATTAMENTO O	Normalità NaOH	Volume di NaOH speso (ml)	peso del campione (g)	ACIDITÀ LIBERA (meq. carbossili liberi/g) I DESIDERI
T1	0,087	0,9000	0,2039	0,3841

T2	0,087	1,0667	0,2023	0,4588
T3	0,087	0,6333	0,2047	0,2692
T4	0,087	1,0333	0,2042	0,4403
T5	0,087	1,2667	0,2028	0,5434
T6	0,087	1,0000	0,2055	0,4233
T7	0,087	1,3000	0,2050	0,5518
T8	0,087	1,0667	0,2049	0,4530

ALLEGATO 12.

Acidità titolabile della pectina Nueva Esperanza

Acidità titolabile pectina Nueva Esperanza				
TRATTAMENTO	Normalità NaOH	Volume di NaOH speso (ml)	peso del campione (g)	ACIDITÀ LIBERA (meq. carbossili liberi/g) NUEVA ESPERANZA
T1	0,0985	1,2167	0,2043	0,5862
T2	0,0985	1,2333	0,2060	0,5895
T3	0,0985	1,1333	0,2040	0,5470
T4	0,0985	1,2500	0,2063	0,5965
T5	0,0985	1,3500	0,2047	0,6494
T6	0,0985	1,2333	0,2043	0,5943
T7	0,0985	1,3167	0,2043	0,6344
T8	0,0985	1,2000	0,2043	0,5782

ALLEGATO 13.

Peso equivalente di pectina Los Deseos

Los Deseos peso equivalente di pectina				
TRATTAMENTO	NaOH normale	Volume di NaOH speso (ml)	peso del campione (g)	PESO EQUIVALENTE (mg/meq)
T1	0,087	0,9000	0,2039	2603,661
T2	0,087	1,0667	0,2023	2179,598
T3	0,087	0,6333	0,2047	3715,064
T4	0,087	1,0333	0,2042	2271,042
T5	0,087	1,2667	0,2028	2207,615
T6	0,087	1,0000	0,2055	2362,452
T7	0,087	1,3000	0,2050	1840,290
T8	0,087	1,0667	0,2049	1812,261

ALLEGATO 14.

Peso equivalente di pectina Nueva Esperanza

Peso equivalente di pectina Nueva Esperanza				
TRATTAMENTO 0	NaOH normale	Volume di NaOH speso (ml)	peso del campione (g)	PESO EQUIVALENTE (mg/meq)
TI	0,0985	1,2167	0,2043	1705,772
T2	0,0985	1,2333	0,2060	1696,446
T3	0,0985	1,1333	0,2040	1828,209
T4	0,0985	1,2500	0,2063	1676,536
T5	0,0985	1,3500	0,2047	1539,809
T6	0,0985	1,2333	0,2043	1682,721
T7	0,0985	1,3167	0,2043	1576,220
T8	0,0985	1,2000	0,2043	1729,463

ALLEGATO 15.

Resa di pectina alle fasi di maturazione 1, 2 e 3 dell'azienda agricola los deseos con il metodo t4 - 600w -10 minuti, campioni secchi senza oli essenziali.

RESA IN PECTINA AGLI STADI DI MATURAZIONE 1, 2 E 3 DELLA FATTORIA NUEVA ESPERANZA CON IL METODO T4-600W- 10 MINUTI, CAMPIONI SECCHI E SENZA OLI ESSENZIALI.									
	peso totale m. + borsa	Peso canti. Per la pectina	peso della carta	peso per pei + pectina	peso della pectina	peso della pectina m. iniziale	%pectina secca	Media %pectina secca	deviazione standard
il	85,60-1	10,12	1,08	1,42	0,34	2,84	6,11	**6,38**	**0,382**
Ib*	76,68-1	10,26	1,1	1,28	0,18	1,33	3,05		
1c	87,16-1	10,36	1,09	1,46	0,37	3,08	6,65		
2a	76,55-1	10,17	1,08	1,42	0,34	2,53	6,34	**6,30**	**0,057**
2B	74,74-1	10,2	1,1	1,46	0,36	2,6	6,26		
2C *	76,35-1	10,12	1,09	1,3	0,21	1,56	3,54		
3A	53,04-1	10,41	1,09	1,37	0,28	1,39	4,02	**4,07**	**0,071**
3B	36,32-1	10,08	1,08	1,44	0,36	1,26	4,12		
3C *	42,62-1	10,22	1,08	1,35	0,27	1,1	2,78		

*valori non mediati

ALLEGATO 16.

Resa di pectina agli stadi di maturazione 1, 2 e 3 dell'azienda agricola nueva esperanza con il metodo t4 - 600w -10 minuti, campioni secchi e senza oli essenziali.

RESA IN PECTINA AGLI STADI DI MATURAZIONE 1, 2 E 3 DELLA FATTORIA NUEVA ESPERANZA CON IL METODO T4-600W- 10 MINUTI, CAMPIONI SECCHI E SENZA OLI ESSENZIALI.									
	peso totale m. + borsa	peso canti. Per la pectina	peso della carta	carta a peso + pectina	peso della pectina	peso della pectina m. iniziale	%pectina secca	% media di drypectin	deviazione standard
*	62,19-1	10,15	1,11	1,16	0,05	0,3	1,31	**7,56**	**0,000**
Ib	48,39-1	10,42	1,08	1,44	0,36	1,64	7,56		
1c *	71,77-1	10,08	1,13	1,17	0,04	0,28	1,12		
2a *	60,26-1	10,42	1,07	1,22	0,15	0,85	2,15	**7,65**	**1,485**
2B	51,33-1	10,53	1,05	1,55	0,5	2,15	6,6		
2C	75,26-1	10,29	1,08	1,55	0,47	3,43	8,7		
3A	32,67-1	10,02	1,1	1,44	0,34	1,11	4,66	**5,34**	**0,962**
3B	80,73-1	10,33	1,09	1,27	0,18	1,39	6,02		

*valori non mediati

ALLEGATO 17.

Determinazione dell'umidità e delle ceneri della pectina estratta dalle due aziende.

DETERMINAZIONE DELL'UMIDITÀ E DELLE CENERI DELLA PECTINA ESTRATTA DALL'AZIENDA AGRICOLA LOS DESEOS (1) E NUEVA ESPERANZAR).									
TRATAMIENTO	Lotto	W Crogiolo	Wcrisol + campione	Campione W iniziale (g)	Crogiolo W2 + campione secco	Crogiolo W3 + campione secco	Crogiolo W + Ceneri	UMIDITÀ (%)	ASH (%)
T1	1	20,926		0,685	21,581	21,580	20,950	4,526	3,670
		20,926	21,571	0,645		21,539	20,949	4,961	3,752
T2	1	15,469		0,563	16,005	16,005	15,488	4,796	3,545
		15,469	16,290	0,821		16,240	15,499	6,090	3,891
T3	1	13,584		0,716	14,267	14,266	13,603	4,749	2,786
		13,584	14,340	0,756		14,294	13,605	6,085	2,958
T4	1	20,590		0,615	21,178	21,177	20,612	4,553	3,748
		20,590	21,100	0,510		21,071	20,609	5,686	3,950
T5	1	27,297		0,601	27,869	27,868	27,318	4,992	3,678
		27,297	28,313	1,016		28,258	27,333	5,404	3,746
T6	1	23,592		0,632	24,192	24,191	23,613	5,222	3,506
		23,592	24,224	0,632		24,184	23,617	6,329	4,223
T7	1	24,885		0,821	25,664	25,663	24,912	5,238	3,470
		24,885	25,500	0,615		25,462	24,909	6,179	4,159
T8	1	27,371		0,845	28,178	28,177	27,402	4,615	3,846
		27,371	28,422	1,051		28,359	27,410	5,994	3,947

ALLEGATO 18.

Analisi statistica delle rese di pectina dell'azienda agricola Los Deseos.

Valori di resa della pectina desideri

Resa di pectina LOS DESEOS								
	T1	T2	T3	T4	T5	T6	T7	T8
R1	9,865	5,912	8,376	5,794	8,773	3,617	8,696	4,884
R2	7,344	4,822	7,035	6,304	10,258	4,551	7,757	4,424
R3	9,694	6,222	5,826	5,017	9,829	4,380	6,888	5,161

Analisi della varianza

Fonte	*Somma dei quadrati*	*Gl*	*Quadrato medio*	*Rapporto F*	*Falor-P*
Tra i gruppi	80,7672		11,5382	14,51	0,0000
Intragruppi	12,7198		0,794989		
Totale (Corr.)	93,487	23			

Test su campi multipli

Metodo: 95,0 % LSD

	Casi	*Media*	*Gruppi omogenei*
T6		4,18267	X
T8		4,823	X
T2		5,652	XX
T4		5,705	XX
T3		7,079	XX
T7		7,78033	XX
T1		8,96767	XX
T5		9,62	X

Contrasto		*Differenza*	*Limiti +/-*
T1 - T2	*	3,31567	1,54331
T1 - T3	*	1,88867	1,54331
T1 - T4	*	3,26267	1,54331
T1 - T5		-0,652333	1,54331
T1 - T6	*	4,785	1,54331
T1 - T7		1,18733	1,54331
T1 - T8	*	4,14467	1,54331
T2-T3		-1,427	1,54331
T2-T4		-0,053	1,54331
T2-T5	*	-3,968	1,54331

T2-T6		1,46933	1,54331
T2-T7	*	-2,12833	1,54331
T2-T8		0,829	1,54331
T3 - T4		1,374	1,54331
T3 - T5	*	-2,541	1,54331
T3 - T6	*	2,89633	1,54331
T3 - T7		-0,701333	1,54331
T3 - T8	*	2,256	1,54331
T4-T5	*	-3,915	1,54331
T4-T6		1,52233	1,54331
T4-T7	*	-2,07533	1,54331
T4-T8		0,882	1,54331
T5 - T6	*	5,43733	1,54331
T5 - T7	*	1,83967	1,54331
T5 - T8	*	4,797	1,54331
T6-T7	*	-3,59767	1,54331
T6-T8		-0,640333	1,54331
IT7-T8	*	2,95733	11, 543311

* indica una differenza significativa.

ALLEGATO 19.

Analisi statistica delle rese di pectina di Nueva Esperanza

I valori di resa della pectina rappresentano una nuova speranza

		Resa di pectina NUOVO IT				PERANZA		
	T1	T2	T3	T4	T5	T6	T7	T8
R1	7,464	3,024	11,131	3,785	5,665	2,226	10,830	3,393
R2	7,306	2,793	9,861	4,066	6,118	1,588	8,855	3,506
R3			8,911		6,220		9,156	2,428

Analisi della varianza

Fonte	*Somma dei quadrati*	*Gl*	*Quadrato medio*	*Rapporto F*	*Falor-P*
Tra i gruppi	176,4		25,2	51,22	0,0000
Intragruppi	5,9045		0,492042		
Totale (Corr.)	182,305				

Test su campi multipli

Metodo: 95,0 % LSD

	Casi	*Media*	*Gruppi omogenei*
T6		1,907	X
T2		2,9085	XX
T8		3,109	XX
T4		3,9255	X
T5		6,001	X
T1		7,385	X
T7		9,61367	X
T3		9,96767	X
Contrasto	SiR	Differenza	Limiti +/-
T1 - T2	*	4,4765	1,52835
T1 - T3	*	-2,58267	1,39518
T1 - T4	*	3,4595	1,52835
T1 - T5		1,384	1,39518
T1 - T6	*	5,478	1,52835
T1 - T7	*	-2,22867	1,39518
T1 - T8	*	4,276	1,39518
T2-T3	*	-7,05917	1,39518
T2-T4		-1,017	1,52835
T2-T5	*	-3,0925	1,39518
T2-T6		1,0015	1,52835
T2-T7	*	-6,70517	1,39518
T2-T8		-0,2005	1,39518
T3 - T4	*	6,04217	1,39518
T3 - T5	*	3,96667	1,24789
T3 - T6	*	8,06067	1,39518
T3 - T7		0,354	1,24789
T3 - T8	*	6,85867	1,24789
T4-T5	*	-2,0755	1,39518
T4-T6	*	2,0185	1,52835
T4-T7	*	-5,68817	1,39518
T4-T8		0,8165	1,39518

T5 - T6	*	4,094	1,39518
T5 - T7	*	-3,61267	1,24789
T5 - T8	*	2,892	1,24789
T6-T7	*	-7,70667	1,39518
T6-T8		-1,202	1,39518
T7-T8	*	6,50467	1,24789

* indica una differenza significativa.

ALLEGATO 20.

Analisi statistica del grado di esterificazione dei desiderata

Valori per il grado di csterificazione della pectina della pectina wishful thinking

Grado di esterificazione della pectina Los Deseos								
	Tl	T2	T3	T4	T5	T6	TJ	TS
RI	64,81 0	62,42 g	JJ,53 S	J0,sg	6l,J3	64,lJ 1	6l,00 0	62,42 g
R2	J0,4S J	64,6S	JS,23	7l,85 1	64,lJ 1	Jl,55	66,5l 0	66,00 0
R3	J2,3g 5	66,00 0	jj,gs J	62,42 g	62,6g S		6J,00 0	6J,lg 0

Analisi della varianza

Fonte	*Somma dei quadrati*	*Gl*	*Quadrato medio*	*Rapporto F*	*Falor-P*
Tra i gruppi	466,957		66,7081	6,46	0,0012
Intragruppi	154,998		10,3332		
Totale (Corr.)	621,955				

Test su campi multipli

Metodo: 95,0 % LSD

	Casi	*Media*	*Gruppi omogenei*
T5		62,867	X
T2		64,371	XX
T7		64,8367	XX
T8		65,2063	XX
T6		67,8635	XX
T4		68,2907	XX
T1		69,2307	X
T3		77,9097	X

Contrasto	SiZ	*Differenza*	*Limiti +/-*
T1 - T2		4,85967	5,59433
T1 - T3	*	-8,679	5,59433
T1 - T4		0,94	5,59433
T1 - T5	*	6,36367	5,59433
T1 - T6		1,36717	6,25465
T1 - T7		4,394	5,59433
T1 - T8		4,02433	5,59433
T2-T3	*	-13,5387	5,59433
T2-T4		-3,91967	5,59433
T2-T5		1,504	5,59433
T2-T6		-3,4925	6,25465
T2-T7		-0,465667	5,59433
T2-T8		-0,835333	5,59433
T3 - T4	*	9,619	5,59433
T3 - T5	*	15,0427	5,59433
T3 - T6	*	10.0462	6,25465
T3 - T7	*	13,073	5,59433
T3 - T8	*	12.7033	5,59433
T4-T5		5,42367	5,59433
T4-T6		0,427167	6,25465
T4-T7		3,454	5,59433
T4-T8		3,08433	5,59433
T5 - T6		-4,9965	6,25465
T5 - T7		-1,96967	5,59433
T5 - T8		-2,33933	5,59433
T6-T7		3,02683	6,25465
T6-T8		2,65717	6,25465
T7-T8		-0,369667	5,59433

* indica una differenza significativa.

ALLEGATO 21.

Analisi statistica del grado di esterificazione Nueva Esperanza

Grado di esterificazione della pectina NUEVA ESPERANZA								
	T1	T2	T3	T4	T5	T6	T7	T8
R1	68,58	68,96	70,64	71,620	66,86	68,19	68,58	69,18
R2	69,571	69,571	71,000	71,328	68,58	72,250	68,311	69,94
R3	70,27	69,571	72,03	70,688	67,52	71,000	68,58	69,571

Analisi della varianza

Fonte	*Somma dei quadrati*	*Gl*	*Quadrato medio*	*Rapporto F*	*Falor-P*
Tra i gruppi	33,0904		4,7272	5,53	0,0022
Intragruppi	13,6748		0,854674		
Totale (Corr.)	46,7651	23			

Test su campi multipli

Metodo: 95,0 % LSD

	Casi	*Media*	*Gruppi omogenei*
T5		67,6567	X
T7		68,4943	XX
T2		69,3693	XX
T1		69,4787	XX
T8		69,5667	XX
T6		70,481	XX
T4		71,212	X
T3		71,2267	X

Contrasto	*SiZ*	*Differenza*	*Limiti +/-*
T1 - T2		0,109333	1,60019
T1 - T3	*	-1,748	1,60019
T1 - T4	*	-1,73333	1,60019
T1 - T5	*	1,822	1,60019
T1 - T6		-1,00233	1,60019
T1 - T7		0,984333	1,60019
T1 - T8		-0,088	1,60019
T2-T3	*	-1,85733	1,60019
T2-T4	*	-1,84267	1,60019
T2-T5	*	1,71267	1,60019
T2-T6		-1,11167	1,60019
T2-T7		0,875	1,60019
T2-T8		-0,197333	1,60019
T3 - T4		0,0146667	1,60019
T3 - T5	*	3,57	1,60019
T3 - T6		0,745667	1,60019
T3 - T7	*	2,73233	1,60019
T3 - T8	*	1,66	1,60019
T4-T5	*	3,55533	1,60019
T4-T6		0,731	1,60019
T4-T7	*	2,71767	1,60019
T4-T8	*	1,64533	1,60019
T5 - T6	*	-2,82433	1,60019
T5 - T7		-0,837667	1,60019

T5 - T8	*	-1,91	1,60019
T6-T7	*	1,98667	1,60019
T6-T8		0,914333	1,60019
T7-T8		-1,07233	1,60019

* indica una differenza significativa.

ALLEGATO 22.

Analisi statistica per il grado di metossilazione della desiderabilità

Valori per il grado di esterificazione della pectina della pectina wishful thinking

Grado di metossilazione della pectina Los Deseos								
	Tl	T2	T3	T4	TS	T6	T7	TS
RI	12,28 0	11,90 S	14,26 1	13,18	11,79 S	12,17 g	11,67 g	11,90 S
R2	13,16 S	12,26 0	14,36 S	13,38 0	12,17 g	13,33	12,54	12,46
R3	13,46 S	12,46	14,32 S	11,90 S	11,94		12,62	12,6S

Analisi della varianza

Fonte	*Somma dei quadrati*	*Gl*	*Quadrato medio*	*Rapporto F*	*Falor-P*
Tra i gruppi	11,335		1,61928	6,38	0,0013
Intragruppi	3,80494		0,253662		
Totale (Corr.)	15,1399				

Test su campi multipli

Metodo: 95,0 % LSD

	Casi	*Media*	*Gruppi omogenei*
T5		11,9737	X
T2		12,2103	XX
T7		12,2827	XX
T8		12,3413	XX
T6		12,7565	XX
T4		12,823	XX
T1		12,971	X
T3		14,318	X

Contrasto	*Si Z*	*Differenza*	*Limiti +/-*
Tl - T2		0,760667	0,876513
IT - T3	*	-1,347	0,876513
Tl - T4		0,148	0,876513
Tl - T5	*	0,997333	0,876513
Tl - T6		0,2145	0,979971
Tl - T7		0,688333	0,876513
Tl - T8		0,629667	0,876513
T2-T3	*	-2,10767	0,876513
T2-T4		-0,612667	0,876513
T2-T5		0,236667	0,876513
T2-T6		-0,546167	0,979971
T2-T7		-0,0723333	0,876513
T2-T8		-0,131	0,876513
T3 - T4	*	1,495	0,876513
T3 - T5	*	2,34433	0,876513
T3 - T6	*	1,5615	0,979971
T3 - T7	*	2,03533	0,876513
T3 - T8	*	1,97667	0,876513
T4- T5		0,849333	0,876513
T4- T6		0,0665	0,979971
T4- T7		0,540333	0,876513
T4- T8		0,481667	0,876513
T5 - T6		-0,782833	0,979971
T5 - T7		-0,309	0,876513
T5 - T8		-0,367667	0,876513
T6- T7		0,473833	0,979971
T6- T8		0,415167	0,979971
T7- T8		-0,0586667	0,876513

* indica una differenza significativa.

Valori del grado di esterificazione della pectina di Nueva Esperanza

ALLEGATO 23.

Analisi statistica del grado di metossilazione di Nueva Esperanza

Grado di metossilazione della pectina Nueva Esperanza								
	Ti	T2	T3	T4	TS	T6	T7	TS
R1	12,S7 i	12,g3 1	13,19	13,34	12,60	12,81 0	12,S7 1	12,g6
R2	13,02 S	13,02 S	13,24 S	13,2g g	12,S7 1	13,44	12,S2 S	13,0S
R3	13,13	13,02 S	13,40 g	13,19 g	12,70 S	13,24 S	12,S7 1	13,02 S

Analisi della varianza

Fonte	*Somma dei quadrati*	*Gl*	*Quadrato medio*	*Rapporto F*	*Falor-P*
Tra i gruppi	0,805726		0,115104	5,54	0,0022
Intragruppi	0,332439	16	0,0207774		
Totale (Corr.)	1,13816	23			

Test su campi multipli

Metodo: 95,0 % LSD

	Casi	*Media*	*Gruppi omogenei*
T5		12,726	X
T7		12,8567	XX
T2		12,9937	XX
TI		13,0107	XX
T8		13,0243	XX
T6		13,1667	XX
T4		13,2807	X
T3		13,2833	X

Contrasto	*Sig.*	*Differenza*	*Limiti +/-*
T1 - T2		0,017	0,249498
T1 - T3	*	-0,272667	0,249498
T1 - T4	*	-0,27	0,249498
T1 - T5	*	0,284667	0,249498
T1 - T6		-0,156	0,249498
T1 - T7		0,154	0,249498
T1 - T8		-0,0136667	0,249498
T2-T3	*	-0,289667	0,249498
T2-T4	*	-0,287	0,249498
T2-T5	*	0,267667	0,249498
T2-T6		-0,173	0,249498
T2-T7		0,137	0,249498
T2-T8		-0,0306667	0,249498
T3 - T4		0,00266667	0,249498
T3 - T5	*	0,557333	0,249498
T3 - T6		0,116667	0,249498
T3 - T7	*	0,426667	0,249498
T3 - T8	*	0,259	0,249498
T4-T5	*	0,554667	0,249498
T4-T6		0,114	0,249498
T4-T7	*	0,424	0,249498
T4-T8	*	0,256333	0,249498
T5 - T6	*	-0,440667	0,249498
T5 - T7		-0,130667	0,249498
T5 - T8	*	-0,298333	0,249498
T6-T7	*	0,31	0,249498
T6-T8		0,142333	0,249498
T7-T8		-0,167667	0,249498

* indica una differenza significativa.

Milton Keynes UK
Ingram Content Group UK Ltd.
UKHW010854280324
440101UK00001B/254